Évelyne SIRÉJOLS

Enseignante à Langue et Culture françaises
et à la Chambre de Commerce de Paris

PRENDRE AU MOT

VOCABULAIRE THÉMATIQUE

ALLIANCE FRANÇAISE

HATIER / Didier

Maquette : Jehanne-Marie Husson.
Couverture : Contours.
Illustrations : Jacques Lerouge.
Photocomposition-Photogravure : Groupe MCP-PHIP.

© Les Éditions Didier, Paris, 1989   ISBN 2-278-03853-2   Printed in France

Sommaire

Introduction

Ce cahier de vocabulaire s'adresse à des apprenants étrangers, en situation scolaire ou non, en fin de niveau 1 et au-delà, désireux d'enrichir leurs connaissances lexicales du français. Son principal objectif est d'ordre linguistique : les exercices proposés privilégient sous des formes variées l'acquisition et la compréhension du lexique courant nécessaire à la communication en français. Ils ont une fonction de déclencheur pour faciliter la production orale et écrite. Cet ouvrage peut être utilisé dans la classe de langue comme par l'apprenant seul, en matériel autonome.

Vingt thèmes structurent ce cahier, empruntés à la vie quotidienne des Français d'aujourd'hui, ce qui constitue également une source d'éléments de civilisation.

A l'intérieur de chaque thème, traité en trois pages illustrées, se retrouve une organisation identique :
- un texte « fabriqué »,
- un « réservoir » de mots,
- une série d'exercices lexicaux,
- un texte littéraire d'auteur contemporain.

Les textes fabriqués, inspirés d'anecdotes empruntées à la vie courante, offrent une contextualisation des nouvelles acquisitions lexicales.

Les « réservoirs » de mots constituent un micro-corpus dans lequel l'apprenant puisera les éléments dont il aura besoin pour faire les exercices.

Les exercices sont de plusieurs types : à trous, comparatifs, recherche de mots voisins, de la même famille, de synonymes, classement de nuances, restitution d'expressions imagées. A la fin de chaque série d'exercices, un travail sur les locutions s'adresse plus particulièrement aux apprenants de bon niveau.

Les textes littéraires permettent d'apprécier l'utilisation et le traitement d'un thème spécifique. Sa lecture, facilitée par des notes, donnera un aperçu de la création littéraire française et contemporaine.

La correction des exercices apparaît également à la fin de ce cahier.

L'objectif de l'ouvrage est donc de permettre à l'apprenant d'enrichir de façon globale sa connaissance du lexique.

La classification analogique du lexique, sa mise en scène littéraire ainsi que sa réutilisation à l'intérieur des exercices proposés sont autant d'éléments constituant un matériel de travail facile d'utilisation, garantissant l'acquisition rapide de nouveaux mots.

L'originalité de ce produit tient à la simplicité d'utilisation que confère le regroupement thématique des termes. Ce classement, au contraire de celui d'un dictionnaire permet à l'étudiant d'élargir sa connaissance du vocabulaire d'un champ lexical donné. Il permet l'acquisition en « boule de neige » raisonnée et illustrée par des contextualisations. Il constitue un outil complémentaire à l'utilisation des méthodes d'enseignement du français.

Évelyne SIRÉJOLS

Chacun chez soi

Nicolas lit attentivement les petites annonces, à la recherche de l'appartement de ses rêves ; que cherche-t-il ? Un deux-pièces en duplex, avec mezzanine mais un atelier de peintre dans le 17e lui plairait bien. Éventuellement, un rez-de-jardin lui conviendrait, à condition d'avoir des voisins sympas. Il ne veut surtout pas entendre parler d'une H.L.M. ; il ne veut que de l'ancien : il l'a assez crié sur les toits. En fin de compte, il devra probablement se contenter d'un petit studio, à moins qu'il ne finisse dans une chambre de bonne, comme beaucoup d'étudiants, ce qui n'est pas non plus dépourvu de charme !

un bâtiment   une bâtisse   une bicoque   une cave   un immeuble   une salle de bains
une maison   une construction   une cuisine   les toilettes
une résidence   un édifice
une cabane   un meublé   un domicile   une chambre   un hôtel   un cabinet de toilette
un logis   une pièce   une demeure   un foyer   un studio   un gratte-ciel
un salon   une H.L.M.   une salle à manger
une villa   une salle de séjour   un pied-à-terre   un grenier
un pavillon   une tour   un chez-soi   un couloir

---

1 Parmi ces mots, retrouvez-en 8 désignant les pièces d'une habitation :

....

....

....

2 Comment se nomme la partie d'une maison située sous la toiture ?

Le g..................... . Et celle située dans le sous-sol ? La c.....................

3 Bâtiment, bâtisse, bâtisseur sont construits à partir du verbe bâtir. Essayez de trouver un mot de la famille de construction.

....

4 Un château est une grande maison. Repérez dans la liste donnée ci-dessus 5 termes désignant une maison de grande taille, moderne ou ancienne :

....

....

....

5 *Classez ces différentes habitations de la plus modeste à la plus importante :*

a. un manoir - *b.* une cabane - *c.* une villa - *d.* un studio - *e.* un palais - *f.* un pavillon

1 .... 4 ....
2 .... 5 ....
3 .... 6 ....

6 *Replacez dans les phrases suivantes les mots :*

moquette - pièces - cuisine - parquet - salon - cave - baignoire - balcon

J'ai visité hier un magnifique trois .... ; le .... est spacieux et très ensoleillé. Une chambre ouvre sur un .... et l'autre a une vue superbe. La .... est entièrement équipée avec four, lave-vaisselle et réfrigérateur. Dans la salle de bains, il n'y a pas de .... mais la douche est suffisamment grande. Au sol, il y a une .... claire dans les chambres et du .... dans la salle de séjour. Enfin, au sous-sol, une petite .... est aménagée en débarras.

7 *Cherchez 3 mots de la même famille que le verbe louer et replacez-les dans les phrases suivantes :*

Le propriétaire loue un appartement à son .... ; chaque mois, celui-ci paie un .... Ils signent un contrat de bail au moment de la ....

8 *Aménager, emménager ou déménager, lequel correspond à chaque situation ?*

– lorsqu'on change de domicile, on .... ;
– lorsqu'on arrange, qu'on prépare un appartement pour l'habiter, on l'........................ ;
– lorsqu'on apporte ses meubles dans le nouveau logement, on ....
Et le tout nécessite un gros travail de ménage !

9 *Vous lisez le plan d'un immeuble en construction ; quels mots ne devraient pas y figurer ? (ils sont au nombre de trois)*

la terrasse - la cabane - l'escalier - la chaumière - l'ascenseur - le balcon - la véranda - la cuisine - le séjour - le pavillon - la chambre - le couloir

10 *Vous déménagez ; quels sont les 6 éléments que vous ne pouvez pas emporter avec vous ?*

le lit - la table - la cheminée - le réfrigérateur - le lave-linge - les chaises - l'évier - les placards - l'armoire - le vide-ordures - le buffet - les fauteuils - la baignoire - la cuisinière

11 *L'un de ces 7 verbes ne va pas avec les autres. Retrouvez-le :*

loger - demeurer - déménager - vivre - héberger - habiter - recevoir

12 *Quelles pièces n'entrent pas dans la composition d'un studio parmi :*

l'entrée - la chambre - les toilettes - la salle de bains - le séjour - la cuisine - l'office

13 *Attribuez un environnement ou plus à chaque type d'habitation :*

a. une cabane à outils
b. une villa
c. un immeuble
d. un hôtel
e. un pavillon
f. une ferme
g. un bungalow
h. une chaumière
i. une H.L.M.

1. en ville
2. à la campagne
3. en banlieue
4. au bord de la mer
5. en montagne
6. dans le jardin

14 *Que signifient les expressions suivantes ?*

a. Regagner ses pénates.
 1. Gagner à la loterie.
 2. Rentrer chez soi.
b. Être logé à la même enseigne.
 1. Être traité comme les autres.
 2. Avoir un logement de fonction.

c. C'est gros comme une maison.
  1. C'est un château.
  2. C'est énorme et évident.

d. Pendre la crémaillère.
  1 Organiser une fête après l'emménage-
    ment.
  2. Faire de la crème au chocolat.

e. Jeter l'argent par les fenêtres.
  1. Voler.
  2. Gaspiller l'argent.

f. Crier sur les toits.
  1. Faire la fête sur une terrasse.
  2. Divulguer une nouvelle.

g. C'est la maison du bon Dieu.
  1. C'est une église.
  2. Cette maison est très accueillante.

Dans la cuisine, des rideaux blancs bien tirés, pour ne pas que les gens d'en face puissent bigler[1] chez elle ; d'ailleurs, eux, c'est pareil, si par hasard, elle se met à la fenêtre, et qu'en face, il y en a une d'ouverte, aussitôt, on entend un claquement rageur[2]. Pourtant, à peu de chose près, les appartements sont tous meublés de la même façon : les cuisines avec leur table en formica, les éléments accrochés au mur, le frigidaire dans le coin, et la gazinière près de l'évier. On a beau dire, mais le gaz, c'est pratique, une allumette, et ça chauffe...

1. Bigler (fam.) : regarder.
2. Rageur : qui exprime la colère.

Colette Basile, *Enfin, c'est la vie,* © Denoël-Gonthier, 1975.

Photo de famille

Antoine s'ennuie pendant cet interminable repas de famille; il n'a rien trouvé de mieux pour se distraire que de piquer les jambes de sa cousine Charlotte avec sa fourchette. Ce serait quand même mieux d'aller faire de la balançoire dans le jardin! Ces histoires de famille semblent pourtant bien intéresser tout le monde, sauf lui : « La belle-fille de Frédérique a eu son petit dernier... La grand-tante Lucie rentre en maison de retraite... La maison de famille de Trouville sera louée cet été. Au mariage d'Émilie, on pourrait inviter Pierre, après tout, il fait partie de la famille. Si seulement nous arrivait un oncle d'Amérique !... Vivement qu'ils aillent faire leur petite sieste et que l'on puisse enfin quitter la table ! Ah voilà le dessert, c'est bon signe ! »

un neveu   un aïeul   un filleul   le conjoint   la belle-mère   le grand-père

les parents   le beau-père   la grand-tante   le gendre   le parrain   la belle-fille

les amis   la bru   la fille   des connaissances   le fils   le mari   le cousin

l'époux   le tuteur   la femme   le patriarche   la tante   l'arrière grand-mère

la nièce   la marraine   les relations   la sœur   le petit-fils   la trisaïeule

le beau-frère   la grand-mère   l'oncle

---

1 Parmi ces personnes se sont glissés 7 intrus n'appartenant pas nécessairement au clan familial. Qui sont-ils ?

....
....
....
....
....
....
....
....
....

2 Un nom peut en cacher un autre ! Qui est à la fois le père de mon mari et le second mari de ma mère ?

....

De la même façon, trouvez 2 noms qui désignent le mari de votre fille et deux autres pour la femme de votre fils.

....
....

Recherchez 2 synonymes du mot mari.

....

3 *Parmi ces mots désignant l'enfant, distinguez un terme argotique à valeur dépréciative :*

un bambin - un gamin - un morveux - un gosse - un môme - un mouflet - un marmot

4 *Quelle famille ! Complétez ces phrases à l'aide du croquis et des mots :*

gendre - petit-fils - beau-frère - grand-tante - frère - tante - neveu - bru - arrière petit-fils - cousines - nièces - belle-sœur - oncle - grands-parents

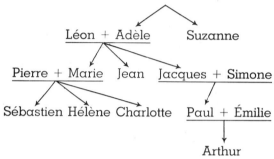

Sébastien est le .... d'Hélène et de Charlotte. Ce sont les .... de Paul. Jean est leur .... célibataire et leur .... s'appelle Simone. Léon et Adèle sont les .... de Sébastien et Suzanne est sa .... Arthur est le .... de Jacques et Simone et l' .... de Léon et Adèle. Pierre est le .... de Jean et Simone est sa .... Il est aussi le .... de Suzanne. Elle a également deux ...., ce sont Marie et Simone. Simone est la .... de Léon et Adèle ; leur .... s'appelle Pierre.

5 *Voici une liste de termes. Répartissez-les selon leur appartenance à la descendance ou à l'ascendance :*

un ancêtre - un rejeton - un héritier - la progéniture - les aïeuls - la postérité - les anciens

Ascendance :

....

....

Descendance :

....

....

6 *Classez ces membres de la famille du plus âgé au plus jeune :*

le père - l'arrière-petit-fils - le bisaïeul - le grand-père - le petit-fils - le fils

....

....

....

7 *Voici trois sœurs : laquelle est la plus jeune parmi la cadette, l'aînée et la benjamine ?*

....

8 *Voici des mots de la même famille que « famille » : familial, familiariser, familiarité, familier. Retrouvez leur équivalent :*

a. coutumier, simple (adjectif) : ....

b. domestique (adjectif) : ....

c. accoutumer (verbe) : ....

d. liberté ; désinvolture (nom) : ....

9 *Trouvez un verbe, un adjectif, un nom, un adverbe de la même famille que* frère *et un nom et un adjectif construits à partir des mots* mère *et* père.

....

....

....

....

10 *Ils font partie de la famille ou presque ! Complétez les phrases par les mots suivants :* pupille, filleul, tuteur, parrain, *et trouvez ensuite leur féminin.*

Je suis orphelin. Mon .... s'occupe de moi jusqu'à ma majorité. Je suis donc son .... Mon ...., lui, m'a tenu dans ses bras lors de mon baptême et a peut-être choisi mon prénom. Je suis son ....

11 *Petits problèmes familiaux :*
Qui est à la fois le frère de mon père et le père de ma cousine ?
La sœur de ma grand-mère et la grand-mère de mon cousin ?
Le père de ma mère et le père de ma tante ?

....
....
....

12 *Voici quelques locutions. Que signifient-elles hors du contexte familial ?*

a. Laver son linge sale en famille.
b. Avoir un air de famille.
c. Être de bonne famille.
d. Fonder une famille.
e. Avoir l'esprit de famille.
f. Faire partie de la famille.

1. Être solidaire.
2. Avoir des enfants.
3. Être un ami intime.
4. Se ressembler.
5. Régler entre soi les démêlés domestiques.
6. Appartenir à un milieu bourgeois aisé.

13 *Qui est-ce ?*

a. Le cousin germain.
   1. Un cousin allemand.
   2. Le fils de mon oncle ou de ma tante.
b. Une tante à la mode de Bretagne.
   1. Une tante éloignée, par alliance.
   2. Une tante résidant en Bretagne.
c. Un oncle d'Amérique.
   1. Le frère de ma mère résidant aux USA.
   2. Le parent riche qu'on a perdu de vue et qui laisse un héritage inattendu.
d. Le parent pauvre.
   1. Le père malade.
   2. Une personne moins bien traitée que les autres.

Sur les photos de famille prises l'été suivant, on voit de jeunes dames en robes longues, aux chapeaux empanachés[1] de plumes d'autruche, des messieurs coiffés de canotiers et de panamas[2] qui sourient à un bébé : ce sont mes parents, mon grand-père, des oncles, des tantes, et c'est moi. Mon père avait trente ans, ma mère vingt et un, et j'étais leur premier enfant. Je tourne une page de l'album ; maman tient dans ses bras un bébé qui n'est pas moi ; je porte une jupe plissée, un béret, j'ai deux ans et demi, et ma sœur vient de naître. J'en fus, paraît-il, jalouse, mais pendant peu de temps. Aussi loin que je me souvienne, j'étais fière d'être l'aînée : la première.

1. Empanaché : orné, décoré.
2. Panama : chapeau d'été.

Simone de Beauvoir, *Mémoires d'une jeune fille rangée*, Éd. Gallimard, 1958.

En classe

Septembre, c'est le mois de la rentrée des classes. Cahiers, cartables, livres ont remplacé seaux, pelles et bouées de l'été. Dans les maisons, on ne parle que bons points, lignes d'écriture, devoirs, incidents de cour de récréation et notes obtenues. Chacun conserve parmi ses souvenirs de scolarité une vieille photo de classe montrant le maître sagement entouré de ses écoliers impeccables. Mais les choses ont-elles vraiment changé? Dans les classes on retrouve les mêmes rangées de tables faisant face au bureau du maître surmonté de l'éternel tableau noir. Et ceux qui usent aujourd'hui leurs culottes sur les bancs de l'école garderont de ce passage à l'école primaire un souvenir impérissable.

un manuel · un cartable · l'étudiant · un camarade · le pensionnat · le tableau noir · le censeur · un cancre · un professeur · une classe · un diplôme · la distribution des prix · les cours · le doyen · un externe · la récréation · les copains · le lycée · le carnet scolaire · le recteur · un pupitre · les notes · un pion · un globe · un élève · le primaire · le classement · l'étude · la faculté · le gymnase · un écolier · le collège · une surveillante · un instituteur · la cour

---

1 Cherchez dans cette liste 7 éléments (objets ou personnes) présents dans une salle de classe de l'école primaire.

....

....

....

....

....

Retrouvez 6 professionnels du monde éducatif, enseignants et administratifs.

....

....

....

....

2 Quel est le féminin des noms suivants?

un écolier ....

un collégien ....

un lycéen ....

un directeur ....

un pion ....

un professeur ....

un instituteur ....

un censeur ....

un doyen ....

3 Scolaire : *trouvez un verbe, un nom et un adverbe de la même famille que cet adjectif.*

....

....

4 *Dans quel établissement commence-t-on une formation et où la poursuit-on ? Classez ces établissements dans l'ordre de fréquentation habituel :*

a. l'université - *b.* l'école primaire - *c.* le collège - *d.* le lycée - *e.* la maternelle

5 *Chaque activité a son lieu propre. Lequel ? Complétez les phrases à l'aide des mots :*

cafétéria - réfectoire - dortoir - salle d'études - salle de cours - vestiaire - cour de récréation - gymnase - infirmerie

a. On fait ses devoirs dans la ....

b. On prend une boisson à la ....

c. On fait de la culture physique au ....

d. On se déshabille au ....

e. On écoute le professeur en ....

f. On déjeune au ....

g. On joue dans la ....

h. On dort au ....

i. On se soigne à l'.........................

6 *Complétez les phrases suivantes avec les mots :*

scolarité - dossier - concours - entretien - épreuves - candidats

Pierre vient de réussir son bac ; sa .... est terminée mais il veut poursuivre des études. Son professeur principal lui a conseillé lors d'un .... de tenter un .... dans une grande école qui, compte tenu du nombre important de ...., est difficile à réussir. Il doit passer quatre .... : statistique, gestion, économie et droit. Il faut qu'il aille retirer un .... de pré-inscription avant la fin de la semaine.

7 *Dans la liste suivante, chaque mot ou expression a son contraire. Retrouvez-les.*

a. un blâme	1. une école privée
b. le contrôle continu	2. un externat
c. récompenser	3. les félicitations
d. passer	4. un examen
e. réussir	5. échouer
f. une pension	6. punir
g. l'école maternelle	7. redoubler
h. un établissement public	8. l'université

8 *Trouvez-leur un synonyme.*

a. un professeur stagiaire
   1. un jeune professeur
   2. un surveillant

b. un crac
   1. un cancre
   2. une grosse tête

c. un potache
   1. une soupe
   2. un élève

d. la maîtresse
   1. la directrice
   2. l'institutrice

e. le principal
   1. l'inspecteur
   2. le proviseur

f. un pion
   1. un écolier
   2. un surveillant

g. le cancre
   1. un crayon
   2. un mauvais élève

9 *Remettez les expressions suivantes dans l'ordre :*

a. Obtenir	1. des cours.
b. Sortir	2. à un examen.
c. Suivre	3. des études.
d. Faire	4. d'une grande école.
e. Échouer	5. un concours d'entrée.
f. Préparer	6. un dossier d'inscription.
g. Remplir	7. un diplôme.

10 *Comment dire autrement ?*

Français familier :
a. Il a séché le cours.
b. Il a triché.
c. Les étudiants de 2ᵉ année bizutent les nouveaux.
d. Il avait des anti-sèche pour l'examen.
e. C'est un vrai fayot.

Français courant :
1. Il a copié.
2. Il fait tout pour être apprécié du professeur.
3. Il était absent au cours.
4. Ils les malmènent.
5. Il s'était fait des aide-mémoire.

11 *Que signifient les abréviations suivantes ? Complétez-les.*

La fac ....
Un prof ....
Une prépa ....
Ethno ....
Philo ....
Maths ....
Sciences Nat ....
Éco ....
Sciences Po ....
Géo ....
Socio ....
La gym ....

Une interro ....
Un exam ....
Un exo ....

12 *Que signifient les expressions suivantes ?*

a. Sauter une classe.
   1. Faire du sport.
   2. Passer par exemple de 6ᵉ en 4ᵉ.
b. Faire la classe.
   1. Repeindre la classe.
   2. Enseigner.
c. Faire l'école buissonnière.
   1. Suivre un enseignement d'horticulture.
   2. Ne pas aller à l'école sans autorisation des parents.
d. Coiffer le bonnet d'âne.
   1. Être le premier de la classe.
   2. Être le cancre de la classe.
e. Faire école.
   1. Être enseignant.
   2. Avoir des disciples.
f. Être de la vieille école.
   1. Être un ancien élève.
   2. Avoir des principes vieillots.
g. Aller en classe de neige.
   1. Partir avec sa classe à la montagne en hiver.
   2. Étudier la météorologie.
h. Sortir major de sa promotion.
   1. Quitter la publicité.
   2. Être premier au concours d'une grande École.

Ce matin, nous sommes tous arrivés à l'école bien contents, parce qu'on va prendre une photo de la classe qui sera pour nous un souvenir que nous allons chérir toute notre vie, comme nous l'a dit la maîtresse. Elle nous a dit aussi de venir bien propres et bien coiffés.

C'est avec plein de brillantine[1] sur la tête que je suis entré dans la cour de récréation. Tous les copains étaient déjà là et la maîtresse était en train de gronder Geoffroy qui était venu habillé en martien[2]. Geoffroy a un papa très riche qui lui achète tous les jouets qu'il veut. Geoffroy disait à la maîtresse qu'il voulait absolument être photographié en martien et que sinon il s'en irait.

Le photographe était là, aussi, avec son appareil et la maîtresse lui a dit qu'il fallait faire vite, sinon, nous allions rater notre cours d'arithmétique.

Sempé-Goscinny, *Le petit Nicolas*, Éd. Denoël, 1960.

1. La brillantine : une crème pour faire tenir et briller les cheveux.
2. Un martien : un habitant de la planète Mars.

Demande d'emploi

Avec son diplôme de gestion, Nicolas n'a rien à craindre pour décrocher son premier emploi; d'ailleurs le responsable de stage lui a laissé entendre qu'il l'embaucherait dès la fin de ses études. Mais à quel poste : directeur de la publicité, chef du personnel, conseiller financier? Peut-être dans un premier temps ne faut-il pas viser si haut! On verra bien. Nicolas a rendez-vous jeudi prochain et l'avenir lui sourit, il en est certain. D'autant que cette entreprise d'import-export est en pleine expansion et que les cadres y bénéficient d'excellentes conditions de travail.

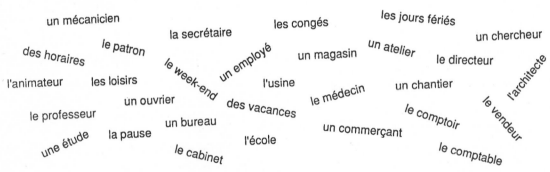

un mécanicien   la secrétaire   les congés   les jours fériés   un chercheur
des horaires   le patron   un employé   un magasin   un atelier   le directeur   l'architecte
l'animateur   les loisirs   le week-end   l'usine   un chantier   le vendeur
le professeur   un ouvrier   des vacances   le médecin   le comptoir
une étude   la pause   un bureau   l'école   un commerçant   le comptable
le cabinet

---

1   *Dans cette liste de mots, trouvez 5 termes correspondant à des arrêts de travail et 7 noms de lieu où s'exerce une profession.*

....

....

....

2   *Voici des lieux de travail, des professions et des accessoires professionnels. Faites-les correspondre entre eux!*

A. l'usine	a. le notaire	1. le tracteur
B. le bureau	b. le vendeur	2. la chaîne de montage
C. l'étude	c. l'agriculteur	3. le stéthoscope
D. le cabinet	d. le menuisier	4. les archives familiales
E. l'école	e. l'ouvrier	5. l'échafaudage
F. le chantier	f. la secrétaire	6. le tableau noir
G. le champ	g. l'institutrice	7. la caisse enregistreuse
H. l'atelier	h. le maçon	8. la machine à écrire
I. le magasin	i. le médecin	9. le rabot

3 *Tout travail mérite salaire! Attribuez à chaque corps de métier son dû :*

honoraires - salaire - traitement - cachet - solde

Le professeur reçoit un .... L'ouvrier un .... Le militaire reçoit sa .... et l'acteur un .... Quant au médecin, il touche des ....

4 *L'habit ne fait pas le moine et pourtant! Certaines professions ne s'exercent pas sans une tenue bien spécifique! (Soulignez la réponse.)*

Qui porte une combinaison, le gendarme ou le cosmonaute? La blouse est-elle réservée à la secrétaire ou à l'infirmière? Est-ce l'hôtesse de l'air ou la bouchère, si digne dans son uniforme? Enfin, qui porte un bleu de travail, le pilote ou l'agriculteur?

5 *Complétez les phrases suivantes à l'aide des mots :*

intérimaire - retraite - chômeur - travail à mi-temps - plein temps - travail à domicile

Je suis sans emploi, je suis donc .... Le .... me permet de ne pas m'absenter de chez moi. Pour les mères de famille, le .... est une bonne solution. Il est .... et il travaille à temps partiel. En France, un .... correspond à 39 heures de travail hebdomadaire. L'âge de la .... est généralement à soixante ans.

6 *Chaque profession a son spécialiste. Retrouvez-le :*

Exemple : la cuisine → le chef cuisinier

la recherche ....

la mécanique ....

la chirurgie ....

la justice ....

l'électricité ....

l'informatique ....

7 *Parmi ces fonctions, deux ne sont pas classées comme professions libérales. Lesquelles ?*

avocat - médecin - pharmacien - notaire - architecte - plombier - huissier - instituteur - vétérinaire

....

8 *Choisissez un synonyme pour chacun des termes ou expressions suivants :*

a. présenter une candidature
   1. postuler
   2. promouvoir

b. embaucher
   1. remercier
   2. engager

c. limoger
   1. renvoyer
   2. féliciter

d. pratiquer une profession
   1. exercer
   2. diriger une profession

9 *Classez ces arrêts de travail du plus court au plus long :*

les congés annuels - la retraite - le week-end - la pause - un pont

....
....
....

10 *Parmi ces verbes, distinguez ceux évoquant un travail bien fait :*

bâcler - fignoler - saboter - peaufiner - expédier - soigner

....
....

11 *Que signifient les expressions suivantes ?*

a. Il travaille du chapeau.
   1. Il fabrique des chapeaux.
   2. Il est fou.

b. C'est un travail de Romain.
   1. C'est un travail exécuté par un Italien.
   2. C'est un travail long et pénible.

c. Il est surchargé de boulot.
   1. Il transporte du bois.
   2. Il a beaucoup de travail.

d. Ils en ont mis un coup.
   1. Ils se sont battus.
   2. Ils ont fourni un gros travail.

e. Elle travaille d'arrache-pied.
   1. Elle travaille avec acharnement.
   2. Elle fait de la culture.

12 *Ces définitions sont-elles exactes ?*

a. Travailler pour le roi de Prusse, c'est travailler pour un profit nul.
   vrai ☐   faux ☐

b. Vivre de ses rentes signifie travailler dur pour gagner sa vie.
   vrai ☐   faux ☐

c. S'il a du pain sur la planche, c'est qu'il a beaucoup de travail.
   vrai ☐   faux ☐

d. Un travail au noir est un travail illégal.
   vrai ☐   faux ☐

e. L'inspecteur des travaux finis remplit des fonctions lourdes et importantes.
   vrai ☐   faux ☐

A l'époque, elles travaillaient toutes les deux dans un atelier de confection, où elles cousaient des poches et des boutonnières pour des pantalons qui portaient la marque Ohio, U.S.A. sur la poche arrière droite. Elles faisaient cela huit heures par jour et cinq jours par semaine, de neuf à cinq avec une interruption de vingt minutes pour manger debout devant leur machine. «C'est le bagne[1]», disait Olga, une voisine. Mais elle ne parlait pas trop fort parce que c'était défendu de parler pendant le temps de travail. Celles qui parlaient, qui arrivaient en retard, ou qui se déplaçaient sans autorisation devaient payer une amende au patron, vingt francs, quelquefois trente, ou même cinquante. Il ne fallait pas qu'il y ait de temps mort[2]. Les ouvrières s'arrêtaient à cinq heures de l'après-midi exactement, mais alors il fallait qu'elles rangent les outils, qu'elles nettoient les machines, et qu'elles apportent au fond de l'atelier toutes les chutes[3] de toile ou les bouts de fil usés, pour les jeter à la poubelle. Alors, en fait, le travail ne finissait pas avant cinq heures et demie.

J. M. G. Le Clézio, *La ronde et autres faits divers* (in «La grande vie»), Éd. Gallimard.

1. Le bagne *(fam.)* : endroit où les conditions de travail sont très pénibles.
2. Un temps mort : un arrêt de travail.
3. Les chutes : les restes de tissu.

L'argent dans tous ses états

Au 15 du mois, Pierre se trouve toujours confronté au même problème : il n'a plus un sou en poche, complètement fauché. Après le grand train de vie avec dépenses sans compter, le voici à racler les fonds de tiroir pour survivre jusqu'au prochain jour de paie. Comme beaucoup, il réserve quelques francs pour jouer au loto – il paraît que gagner gros n'arrive pas qu'aux autres ! – ou à la loterie. Dans l'ensemble, son existence des quinze derniers jours est plutôt chiche : tout juste s'il ne va pas faire la manche dans le métro (accompagné de sa flûte). Ses parents, me direz-vous, pourraient bien faire un geste, vu leur condition aisée ; eh bien non, ils lui ont tout simplement coupé les vivres. Quant à son banquier, il n'ose plus lui parler tant son découvert est important.

les billets — un retrait — l'appoint — une subvention — la monnaie — spéculer — la caisse — un banquier — les ressources — les pièces — le carnet de chèques — le coffre-fort — la carte bancaire — un centime — les actions — le crédit — un prêt — les revenus — le capital — une hypothèque — la fortune — un emprunt — un héritage — une dette — un versement — le porte-monnaie — la tirelire — un rentier — une liasse — le portefeuille — une banque — un compte — l'épargne — une allocation

---

1 Dans cette liste, retrouvez 5 objets qui peuvent contenir de l'argent. Classez-les du plus « petit » au plus « grand ».

....

....

....

2 L'argent, certains en ont, d'autres pas. Dans cette liste, retrouvez 8 personnes qui n'en ont pas.

fortuné - miséreux - pourvu - indigent - aisé - déshérité - nanti - richissime - nécessiteux - cossu - argenté - opulent - dépourvu - démuni - pauvre - misérable.

....

....

....

....

3 *L'argent n'a pas d'odeur, peut-être, mais il a un langage. Faites se correspondre les éléments compatibles.*

a. Au restaurant, on paie
b. Pour emprunter, on demande
c. Au garage, on règle
d. Au distributeur de billets, on retire
e. A l'hôtel, on demande
f. A la fin du mois, l'employé perçoit

1. un salaire.
2. l'addition.
3. la facture.
4. un crédit.
5. la note.
6. du liquide.

4 *Replacez les verbes* prêter, placer, emprunter, débourser, rembourser, gagner *dans les phrases suivantes :*

Lorsque Jean était dans le besoin, je lui ai .... de l'argent ; il m'a .... quelques mois plus tard ; il est tout à fait honnête. L'année dernière, mon emploi était bien rémunéré ; j'ai donc .... en bourse l'argent que j'avais .... et ça m'a beaucoup rapporté. Cet homme est affreusement radin ; il veut tout mais il n'est pas question qu'il .... le moindre centime.

Acheter une voiture ? C'est simple ; il suffit d'aller voir ton banquier et de lui .... la somme qui te manque !

5 *Catherine a besoin de 500 F pour régler son loyer. Elle s'adresse à Sophie qui accepte à condition qu'elle les lui rende très vite.*

a. Qui prête ? ....
b. Qui emprunte ? ....
c. Qui s'endette ? ....
d. Qui est le débiteur ? ....
e. Qui a des problèmes pécuniaires ? ....
f. Qui est solvable ? ....
g. A qui l'argent brûle-t-il peut-être les doigts ? ....
h. Qui est peut-être près de ses sous ? ....

6 *Retrouvez le sens proche de chacune des expressions suivantes :*

a. C'est un panier percé.
b. C'est de l'argent qui dort.
c. Donnez-moi des petites coupures.
d. Il m'a fait un chèque en bois.
e. Il est près de ses sous.
f. Il paye sa voiture à tempérament.

1. Il est plutôt avare.
2. Il m'a donné un chèque sans provision.
3. Il dépense tout ce qu'il a.
4. Il la paye à crédit.
5. Cet argent ne rapporte rien.
6. Ne me donnez pas de billets de 500 F.

7 *Vous et l'argent :*
Vous êtes à court d'argent ; préférez-vous qu'on vous donne un chèque en bois ou un chèque en blanc ?

....

Vous achetez une chaîne stéréo ; payez-vous en nature ou en espèces ?

....

8 *Complétez les phrases suivantes à l'aide des mots :*

subvention - allocation - rente - dettes - hypothèque - héritage - revenus - épargne - pension.

Je ne peux plus faire d'emprunt à la banque et mes amis ne veulent plus rien me prêter ; j'ai déjà tellement de .... Si j'avais un oncle d'Amérique, j'aimerais qu'il me laisse à sa mort un énorme .... pour tout rembourser. Notre association a été aidée au début par un ministère qui nous a attribué une forte .... Les personnes âgées possèdent souvent un compte .... sur lequel elles versent leurs économies. Chaque année en février, on fait la déclaration des .... de l'année écoulée destinée aux impôts. Si vous possédez plusieurs appartements, l'argent des loyers constitue une .... et vous êtes à l'abri des problèmes d'argent. En cas de maladie d'un salarié, la Sécurité sociale verse une .... équivalant à la moitié du salaire. Il a fait faillite ; il a tout perdu, il a même mis une .... sur sa maison. En cas de divorce, celui qui n'a pas la charge des enfants verse une .... à l'autre conjoint.

9 *A l'aide de flèches, retrouvez le contraire de :*

a. un panier percé

b. un grippe-sou

c. un prêt

d. un retrait

e. un crédit

1. un débit

2. un radin

3. un dépensier

4. un versement

5. un emprunt

10 *Parmi les expressions suivantes, 4 n'ont pas de lien direct avec l'argent. Lesquelles ?*

a. Il est riche comme Crésus.

b. C'est une riche idée.

c. C'est un pauvre diable.

d. Il est pauvre comme Job.

e. Il est plein aux as.

f. Il est à court d'argent.

g. Il paie les pots cassés.

h. Il ne paie pas de mine.

11 *Voici quelques proverbes en désordre : pourriez-vous les retrouver ?*

a. L'argent

b. Le temps

c. On ne prête

d. L'argent

1. qu'aux riches.

2. c'est de l'argent.

3. n'a pas d'odeur.

4. ne fait pas le bonheur.

12 *Que signifient les expressions suivantes ?*

a. Il a un bas de laine.

  1. Il travaille dans le prêt-à-porter.

  2. Il fait des économies.

b. L'argent lui file entre les doigts.

  1. Il est très dépensier.

  2. Il amasse beaucoup d'argent.

c. Il en veut pour son argent.

  1. Il a un grand pouvoir d'achat.

  2. Il veut recevoir en proportion de ce qu'il donne.

d. Il prend tout pour argent comptant.

  1. Il compte beaucoup.

  2. Il croit tout naïvement.

Time is money

Pour obtenir de la monnaie, introduisez votre pièce ici.

Après avoir inséré[1] votre pièce dans la fente, attendez quelques secondes et prenez la monnaie dans l'orifice[2] inférieur de l'appareil.

Si l'appareil n'a pas fonctionné correctement et ne vous a pas servi, appuyez sur le bouton vert de remboursement ; votre pièce vous sera restituée[3] dans cet orifice.

Si votre pièce ne vous est pas restituée, utilisez le bouton bleu de recul dans le temps : vous vous retrouverez, votre pièce à la main, à l'instant où vous aviez décidé de l'introduire dans le changeur[4].

1. Insérer : faire entrer.
2. Un orifice : un trou.
3. Restituer : rendre, retourner.
4. Le changeur : la machine pour faire de la monnaie.

Pierre Ferran, *La grande naine et le petit géant*,
(Coll. «Anthologie poche 2001»), Magnard, 1987.

Vive les vacances !

Dernière semaine très agitée avant le grand départ. Samedi prochain, «juillettistes» et «aoûtiens» vont se croiser sur les routes. Nicolas, Charlotte, Émilie, Antoine et Thomas feront comme les autres ; ils prendront leur mal en patience avant de gagner leur lieu de villégiature. Samedi, ce sera donc le grand embouteillage : péages saturés, autoroutes encombrées, circulation dense et compacte. Automobilistes, caravaniers, campeurs, véliplanchistes, joueurs de boules, gastronomes, amateurs de nature et adeptes de musées se croiseront sur les routes. Lundi, chacun aura trouvé sa place : les vacanciers dans leur paradis estival trouveront enfin le calme, le grand air, les loisirs - mais souvent aussi la cohue - tant attendus.

la plage   les visites   un pique-nique   l'isolement   la voiture
une réservation   le repos   un itinéraire   les estivants
l'hôtel   les embouteillages   la lecture   les sorties   la campagne   les stages
les rencontres   la pension de famille   une location   le train   le sport
une résidence secondaire   une croisière   le budget   le sable   la montagne
la pétanque   le folklore   le camping   le dépaysement   les bagages
l'étranger   le soleil   la tranquillité   les randonnées   les paysages
le tourisme   l'aventure   une discothèque

---

1 Dans cette liste de mots, choisissez 4 modes d'hébergement pour vacanciers, 3 destinations de vacances, 5 objectifs de vacances.

....
....
....
....
....
....
....
....
....

2 *Selon que vous partez à la mer ou à la montagne, qu'emportez-vous ?*

a. un parasol - *b.* une crème solaire - *c.* des espadrilles - *d.* un sac à dos - *e.* un drap de bain - *f.* des chaussures de randonnée - *g.* un ballon - *h.* une bouée - *i.* un piolet - *j.* une carte d'état-major

A la mer :

....

....

....

A la montagne :

....

....

....

3 *Programme de vacances. Trouvez le nom correspondant à chacun de ces verbes :*

Exemple : lire → la lecture

bronzer ....

se reposer ....

se baigner ....

se promener ....

visiter ....

se calmer ....

se divertir ....

dormir ....

4 *Quel est le synonyme de ?*

a. les vacances
    1. les congés
    2. les jours ouvrables

b. les vacanciers
    1. les convalescents
    2. les estivants

c. les colonies de vacances
    1. les touristes
    2. les camps de vacances

d. une ville balnéaire
    1. une ville moderne
    2. une ville au bord de la mer

e. un lieu de villégiature
    1. un lieu de repos
    2. un lieu de travail

f. un pont
    1. une embarcation
    2. un long week-end

5 *Complétez les phrases suivantes à l'aide des mots :*

circuit - départ - réservation - assurance - bagages - annulation - visa - vaccin

J'ai fait une .... pour partir en avion ; ainsi je suis sûre d'avoir une place ! Cette année, je pars en Autriche avec des amis ; on a prévu de faire un .... de 300 km en quinze jours. Je n'ai pas encore reçu le .... antivariolique. Mon fils est tombé malade quelques jours avant le .... ; heureusement, j'avais contracté une .... et l'........................ du billet ne m'a rien coûté. Avant de partir aux U.S.A., prévoyez dix jours de délai pour obtenir le .... Il est parti en auto-stop, pratiquement sans ....

6 *Restituez à chaque personne un lieu :*

a. le placier   1. le musée
b. le guide   2. le club de vacances
c. l'organisateur   3. le terrain de camping
d. l'hôtelier   4. le train
e. le contrôleur   5. l'auberge

7 *Quel matériel vous faut-il ?*

Pour faire :
a. du golf
b. du tennis
c. de la varappe
d. une croisière
e. de la plongée

1. des chaussures à crampons
2. une crosse
3. un bateau
4. des bouteilles
5. une raquette

Pour être :

f. véliplanchiste
g. cyclotouriste
h. bouliste
i. caravanier
j. pêcheur

5. une canne
6. une caravane
7. une bicyclette
8. une planche à voile
9. un jeu de pétanque

1. Au glacier.
2. Au guide.
3. Au garçon de café.
4. A la serveuse de restaurant.
5. A l'hôtelier.
6. Au contrôleur du train.
7. A l'employé de l'Office du tourisme.

8 *Parmi ces voyageurs, lequel voit le plus de pays ?*

le pélerin - le commis-voyageur - le globe-trotter - le touriste - l'estivant - le vagabond - le bohémien

....

9 *Complétez les phrases suivantes à l'aide des verbes et des expressions :*

visiter - découvrir - rendre visite - explorer - examiner - partir à la découverte de

Cet été, je vais .... à mes amis qui habitent dans le Quercy. Avant de planter la tente, ils ont bien .... le terrain. Il a .... une grotte tout près du château. Il faut absolument .... le musée d'Orsay. Comme nous n'avions pas de projet précis, nous sommes .... la Bretagne que nous ne connaissions pas encore. Elle a .... la maison de fond en comble.

10 *À qui demanderez-vous ? Vous avez plusieurs possibilités :*

a. Est-ce que le petit-déjeuner est compris ?
b. Où se trouve la place Saint-Anne ?
c. De quelle époque date cette tour ?
d. Il reste des couchettes ?
e. Vanille-fraise, s'il vous plaît !
f. Une pression bien fraîche !
g. Avez-vous un menu ?

11 *Ce client a écrit pour réserver une chambre d'hôtel ; soulignez les incohérences :*

Je souhaiterais une chambre simple à lits jumeaux avec vue sur le cabinet de toilette et calme, si possible.

Réécrivez sa demande.

....

....

12 *Que peut-on faire au bord de la mer ?*

a. bronzer - b. lire - c. dormir - d. escalader - e. ramasser des coquillages - f. repasser - g. herboriser - h. discuter - i. faire du lèche-vitrines - j. skier - k. draguer - l. se reposer - m. rougir - n. déguster des vins

13 *Vous prévoyez vos prochaines vacances ; faites le bon choix :*

a. Si vous n'avez pas de bateau, partirez-vous en mer ou à la mer ?

....

b. Vous partez pour l'Islande, irez-vous en étranger ou à l'étranger ?

....

c. Réserverez-vous une chambre d'hôtel ou une place d'hôtel ?

....

d. Partirez-vous en avion ou par avion ?

....

e. Louerez-vous un camping ou un emplacement de camping ?

....

f. Pour vous remettre en forme, vaut-il mieux un bain de foule ou un bain de mer?

....

g. Pour recevoir votre courrier en vacances, choisirez-vous une boîte postale ou la poste restante?

....

14 *Que signifient les expressions suivantes?*

a. Se mettre au vert.
  1. Manger des légumes.
  2. Partir se reposer à la campagne.
b. Partir aux antipodes.
  1. Aller dans un pays lointain.
  2. Partir dans les environs.
c. Faire une virée.
  1. Se faire renvoyer.
  2. Faire une excursion.
d. Passer la frontière.
  1. Quitter un territoire.
  2. Faire de la course de fond.
e. Rouler sa bosse.
  1. Être bossu.
  2. Voyager longtemps.

1. Le remblai : un amas de pierres ou de terre; une petite hauteur.
2. L'ambre solaire : produit utilisé pour se protéger des rayons du soleil et accélérer le bronzage.
3. Ambulant : qui se déplace (pour vendre).

Il faisait très chaud cet été-là et nous avions la certitude que l'on ne nous retrouverait jamais ici. L'après-midi, nous suivions le remblai[1] et nous repérions l'endroit de la plage où la foule était la plus dense. Alors, nous descendions sur cette plage, à la recherche d'un tout petit espace libre pour nous étendre sur nos serviettes de bain. Jamais nous n'avons été aussi heureux qu'à ces moments-là, perdus dans la foule au parfum d'ambre solaire[2]. Les enfants autour de nous bâtissaient leurs châteaux de sable et les marchands ambulants[3] enjambaient les corps et proposaient leurs crèmes glacées.

Patrick Modiano, *Dimanches d'août*, Éd. Gallimard, 1986.

A quoi on joue?

« Ce soir, tirage de la tranche spéciale de la loterie nationale ». « Le loto, c'est pas cher et ça peut rapporter gros. » « Dimanche, Grand Prix de l'Arc de Triomphe, pensez au tiercé... » Non, décidément, ce genre de jeux ne me tente pas et pourtant, je suis joueur. Parlez-moi d'une petite partie de cartes entre amis, ou de boules, là oui, je suis d'accord. Déjà enfant, j'adorais les jeux d'adresse ou de réflexion comme les billes, les osselets et rien ne me tentait davantage que de jouer aux gendarmes et aux voleurs ou à chat perché. Mais j'étais surtout un as pour les jeux de mots, les devinettes et les charades. Je crois ne pas avoir perdu la main dans ce domaine.

les quilles   les cartes   un échiquier   le loto   chat perché   le casino   une charade   un joueur   les dominos   une machine à sous   une devinette   un perdant   les échecs

un gage   un tricheur   le gagnant   une équipe   un pion   colin-maillard   un atout   le hasard   un as   un tripot   la loterie   la chance   l'adresse   les boules   la mise   cache-cache   la pioche   la roulette   un dé   les billes   un partenaire   le croupier   les dames

1   *Parmi ces termes, retrouvez 5 jeux de sociétés :*

....

....

2   *Trouvez un terrain pour chaque jeu. Reliez-les par une flèche.*

a. un dé   1. un tapis
b. des cartes   2. un échiquier
c. une fléchette   3. une cible
d. un pion   4. une piste
e. le loto   5. un carton

3   *Classez ces différents jeux selon qu'ils font appel à la réflexion (R), à l'adresse (A) et/ou au hasard (H).*

les boules ( ) - les cartes ( ) - les dominos ( ) - les dames ( ) - les billes ( ) - les quilles ( ) - les échecs ( ) - le croquet ( ) - la roulette ( ) - le billard ( ) - le jeu de l'oie ( ) - les dés ( ) - les osselets ( )

4   *Parmi ces jeux, lesquels sont généralement réservés aux adultes ? Soulignez-les :*

le bowling - les échecs - les billes - colin-maillard - le poker - chat perché - les devinettes - la loterie - le tiercé - saute-mouton - le billard

5 *Complétez les expressions suivantes à l'aide de flèches :*

a. Il bat
b. Il avance
c. Il pose
d. Il vise
e. Il gagne
f. Il jette
g. Il lance

1. une quille.
2. un pion.
3. les cartes.
4. un lot.
5. un domino.
6. un dé.
7. une boule.

6 *Complétez les phrases suivantes à l'aide des mots :*

casino - roulette - chance - mise - cartes - gain - tricheurs - jeu

C'est une vraie joueuse : lorsqu'elle le peut, elle va au .... de Monte-Carlo pour tenter sa .... Ce n'est pas pour l'appât du .... mais simplement pour le divertissement. Elle s'essaye aux jeux de hasard comme la .... mais elle apprécie surtout le baccara et autres jeux de .... Sa .... n'est jamais très importante car elle n'a pas beaucoup d'argent. Elle accepte de perdre, c'est la règle du .... et elle déteste par-dessus tout les ....

7 *Dans la liste suivante, chaque nom a son contraire. Retrouvez-les.*

a. un partenaire
b. un perdant
c. la chance
d. la déveine
e. un atout

1. la malchance
2. un adversaire
3. une basse carte
4. la veine
5. un gagnant

8 *Classez ces différentes cartes selon leur valeur, de la plus faible à la plus forte :*

la dame - le cinq - le valet - le roi - le deux - l'as - le neuf

(Une de ces cartes peut occuper deux places différentes selon le jeu.)

....
....
....

Posez un nom sous chaque symbole de carte :

cœur - trèfle - pique - carreau

a. .... b. .... c. .... d. ....

9 *Connaissez-vous ces jeux d'enfants ? Attribuez-leur une brève définition.*

a. Jouer à colin-maillard.
b. Jouer à saute-mouton.
c. Jouer à chat perché.
d. Jouer à chat.

1. Avancer en sautant, jambes écartées au-dessus d'un enfant penché.
2. Courir et attraper quelqu'un puis inverser les rôles.
3. Attraper quelqu'un les yeux bandés et l'identifier.
4. On ne peut pas toucher une personne qui est montée sur quelque chose.

10 *Savez-vous ce qu'est une charade ? En voici une :*

Mon premier introduit une objection.
Mon second est le contraire de « pas assez ».
Mon troisième est bien élevé.
Mon quatrième est coloré.
Mon tout désigne un transport urbain.

Réponse : le métropolitain (mais-trop-poli-teint)

À vous de trouver des textes de charade dont les réponses sont :

madeleine - écolière - tambourin

....
....
....
....
....
....
....
....
....
....

11 *Comment définiriez-vous chacune des expressions suivantes ?*

a. Couper un jeu de cartes.
b. Battre les cartes.
c. Piocher une carte.
d. Perdre une carte.

1. Diviser les cartes en deux paquets.
2. Prendre une carte parmi les non distribuées.
3. Donner une carte à son adversaire.
4. Mélanger les cartes.

f. Jouer cartes sur table.
   1. S'asseoir pour jouer.
   2. Être franc.

g. Brouiller les cartes.
   1. Obscurcir volontairement une affaire.
   2. Salir les cartes.

h. Tirer les cartes.
   1. Ranger les cartes.
   2. Lire l'avenir à travers les cartes choisies.

12 *Trouvez le mot ou l'expression synonyme : (Entourez la bonne réponse.)*

a. Un jeu de mots.
   1. Un dé.
   2. Un calembour.

b. Un jeu de casseroles.
   1. Une batterie de cuisine.
   2. Une devinette.

c. Donner sa langue au chat.
   1. Se faire mordre.
   2. Demander la réponse.

d. Un croupier.
   1. Un employé d'une maison de jeu.
   2. Un cavalier.

e. Un tripot.
   1. Une maison de jeu.
   2. Un jeu de cartes.

13 *Que signifient les expressions suivantes ?*

a. Il est vieux jeu.
b. Il joue franc jeu.
c. C'est un jeu d'enfant.
d. Il a beau jeu.
e. Il cache son jeu.
f. Ce n'est qu'un jeu.
g. Il joue le jeu.
h. Il est en jeu.

1. Il se conforme aux règles.
2. Il agit à l'insu d'autrui.
3. Il est loyal.
4. Il est démodé.
5. Il est en cause.
6. Ça ne tire pas à conséquence.
7. C'est facile.
8. Il est en situation de triompher.

«Vous savez jouer ? demanda le monsieur d'une voix en pâte d'amande[1]. Oh ! Voulez-vous m'expliquer ? Je ne comprends pas !

— Vous mettez vingt ronds[2] et puis vous tirez. Il y a des boules qui viennent, faut les envoyer dans le trou.

— Mais il faut être deux, n'est-ce pas ? J'essaie d'envoyer la balle dans le but et vous, vous devez m'en empêcher ?

— Ben oui», dit le jeune homme. Il ajouta au bout d'un instant : «Faut qu'on soye[3] aux deux bouts, un là et un là.

— Voudriez-vous faire une partie avec moi ?

— Moi, je veux bien», dit le jeune homme.

Ils jouèrent. Le monsieur dit d'une voix de tête :

«Mais ce jeune homme est tellement habile ! comment fait-il ? Il gagne tout le temps. Apprenez-moi.

— C'est l'habitude, dit le jeune homme avec modestie. [...]»

Jean-Paul Sartre, *L'âge de raison*, Éd. Gallimard, 1945.

1. En pâte d'amande : douce.
2. Vingt ronds (arg.) : vingt francs.
3. Faut qu'on soye (pop.) : il faut qu'on soit.

Rendez-vous au stade

Grâce à Nicolas – j'oserais même dire à cause de lui – nous vivons tous à l'heure du sport. La vie familiale est complètement perturbée par les horaires d'entraînement au rugby, les séances de natation, les soirées de gymnastique. De plus, il faut supporter la totalité des retransmissions de matchs de foot à la télé. La période la plus pénible débute en juin avec les tournois de tennis puis les étapes du Tour de France que l'on suit, bien obligés, à la télévision. Heureusement, il part quelquefois le week-end avec son club disputer des matchs en province. Ça nous permet de regarder un bon film à la télé à moins qu'on le suive pour grossir les rangs des supporters de son équipe !

le rugby   la piscine   le manège   un athlète   la natation   un boxeur   le terrain   un essai   un arbitre   le football   la compétition   le tennis   un filet   un champion   un court   un joueur   une balle   une équipe   le judo   une piste   une mêlée   le saut   un but   un coureur   un gymnase   un cavalier   le ballon   un adversaire   l'équitation   le cyclisme   un club   un set   un match   un score   la mi-temps   le lancer   le basket   un skieur   le handball   le ping-pong   l'éducation physique   une régate   un maître-nageur   une raquette

1   *Dans cette liste de mots, trouvez-en 5 désignant des lieux sportifs.*

....

....

....

2   *Attribuez un terrain pour chaque sport :*

a. une course
    de chevaux
b. le rugby
c. le tennis
d. la boxe
e. la natation
f. le ski
g. le saut en hauteur

1. un court
2. une piscine
3. une piste
4. un gymnase
5. un ring
6. un stade
7. un hippodrome

3   *Chaque sport met en scène un sportif, lequel ?*

Choisissez parmi :

le boxeur - le skieur - le pilote - le cycliste - le gymnaste - le basketteur - le cavalier - le nageur - le patineur

le ski ....

l'équitation ....

la boxe ....

le basket ....

la natation ....

le cyclisme ....

la gymnastique ....

le patinage artistique ....

la course automobile ....

4 *Voici 4 sportifs : un cavalier (C), un plongeur (P), un escrimeur (E) et un skieur (S). Attribuez à chacun deux éléments de leur équipement parmi les suivants :*

a. une paire de bâtons ( )
b. une paire de palmes ( )
c. une paire de planches ( )
d. une bombe ( )
e. une épée ( )
f. une cravache ( )
g. un masque ( )

5 *Parmi ces verbes, 3 ne désignent pas une action sportive, lesquels ?*

shooter - garer - sauter - lancer - dribbler - courir - nager - attraper - envoyer - broder - viser - glisser - tirer - bloquer - smatcher - croquer - ramer - plaquer

....
....

6 *Ces joueurs ont mélangé leurs accessoires de jeu. Restituez-les-leur.*

a. le tennisman   1. la raquette
b. l'alpiniste   2. le vélo
c. le cycliste   3. le maillet
d. l'escrimeur   4. l'arc
e. l'archer   5. les crampons
f. le joueur de polo   6. l'épée

7 *Ce même remue-ménage a touché les terrains de sport. A vous d'y mettre de l'ordre.*

a. le terrain de   1. un panier
   football   2. des trous
b. le terrain de basket 3. un but
c. le champ de tir   4. une cible
d. le terrain de volley 5. un filet
e. le terrain de golf

8 *Sport ou musique ?*
On joue au tennis mais on joue du saxophone. Complétez les phrases suivantes à l'aide des prépositions au, à la, du, de la.

Pierre joue .... piano mais il ne joue plus .... tennis ; c'est trop fatigant ! Préférez-vous jouer .... guitare ou .... violon ? J'avoue que la musique ne m'attire pas beaucoup ; en revanche, j'adore jouer .... football, ... rugby et, pourquoi pas, ... pétanque.

9 *Balle, ballon ou boule ? Cochez l'objet de chaque sport.*

	Balle	Ballon	Boule
Rugby	☐	☐	☐
Ping-pong	☐	☐	☐
Billard	☐	☐	☐
Pétanque	☐	☐	☐
Croquet	☐	☐	☐
Fooball	☐	☐	☐
Tennis	☐	☐	☐
Base-ball	☐	☐	☐

10 *Ces différents sports se pratiquent en équipes ou individuellement ; à vous de les classer.*

le tennis - le rugby - la lutte - l'escrime - le hockey - le polo - le ski - le base-ball - le patinage - le football - la natation - le volley-ball

Sports d'équipes :
....
....
....
....
....
....
....

Sports pratiqués individuellement :
....
....
....
....
....
....

11 *Quels sont les 6 sports qui se pratiquent sur ou dans l'eau ? Soulignez-les.*

l'aviron - la voile - l'alpinisme - la natation - l'escrime - le ski nautique - la plongée - la course à pied – le rallye automobile - le canoë - l'équitation

12 *Au stade. Soulignez le sens voisin de :*

a. un arbitre
1. un juge sportif
2. un cercle

b. la mi-temps
1. un jeu temporaire
2. une pause lors d'un match

c. un arrière
1. un joueur à l'arrière de l'équipe
2. un gardien de but

d. un hors-jeu
1. la fin du jeu
2. la faute commise par un joueur hors du terrain

e. un goal
1. un ballon
2. un gardien de but

13 *Retrouvez le sens voisin des expressions suivantes :*

a. C'est du sport.
b. Il fait du sport.
c. Il est sport.
d. Il joue sport.
e. Il est aux sports d'hiver.

1. Il ne porte pas de vêtements habillés.
2. Il passe ses vacances d'hiver à la montagne.
3. C'est un sportif.
4. Il respecte la règle du jeu.
5. C'est dangereux, difficile même.

Ce public sait très bien distinguer le catch de la boxe ; il sait que la boxe est un sport janséniste[1], fondé sur la démonstration d'une excellence ; on peut parier sur l'issue[2] d'un combat de boxe : au catch, cela n'aurait aucun sens. Le match de boxe est une histoire qui se construit sous les yeux du spectateur ; au catch, bien au contraire, c'est chaque moment qui est intelligible[3], non la durée. Le spectateur ne s'intéresse pas à la montée d'une fortune, il attend l'image momentanée de certaines passions.

Roland Barthes, *Mythologies* («Le monde où l'on catche»), Éd. du Seuil, 1957.

1. Janséniste : pratiqué avec rigueur.
2. L'issue : la fin, le résultat.
3. Intelligible : facile à comprendre.

Défilé de mode

Mercredi après-midi, pas de cours, plus de devoirs à faire, Émilie et Charlotte décident de faire du lèche-vitrines. Elles choisissent de flâner devant les boutiques de mode du Quartier latin. Jeans, T-shirts, jupes, bottes, chaussures, tout est cause d'émerveillement. Séduites, elles entrent dans les magasins, demandent aux vendeuses la permission d'essayer. Elles sont ravies de se regarder dans le miroir de la cabine. Tout leur va bien, un rien les habille. Elles ont toutes les deux la taille mannequin. Charlotte craque sur une jupe et la prend. Il n'y a pas une seule retouche à faire !

la lingerie   la confection   un grand couturier   le prêt-à-porter   les épaulettes

le look   un tailleur   un gilet   un chemisier   des mocassins

un mannequin   la haute couture   la taille   une modiste   une vitrine

une couturière   un chapeau   le sur-mesure   les accessoires

une parfumerie   la coiffure   la pointure   une garde-robe   une styliste   une voilette

un maroquinier   le maquillage   un essayage   un modèle   un nœud papillon   des bottes

une cravate   des collants   une retoucheuse   un costume   une jupe

un ourlet   un blazer   une boutique   une retouche   un chausseur

un sac   une chemise   un pantalon

---

1 *Dans cette liste, retrouvez 6 noms de personnes au service de la mode et du vêtement ; indiquez ensuite leur tâche.*

a. .... présente les modèles.

b. .... remet les vêtements à la bonne taille.

c. .... fait de la haute couture.

d. .... vend des chapeaux.

e. .... vend des sacs.

f . ... dessine les modèles.

2 *Trouvez un terme général pour désigner les éléments suivants :*

a. des escarpins - des mocassins - des babouches - des chaussons - des richelieu - des ballerines :

Les ....

b. une ceinture - un foulard - une cravate - un ruban - une barrette - une boucle - un sac - une pochette - un chapeau :

Les ....

c. une broche - un collier - un bracelet - une chaîne - un pendentif - une bague - des boucles d'oreilles :

Les ....

d. un rouge à lèvres - un vernis à ongles - une ombre à paupières - un crayon à yeux - un fard à joues :

Le ....

3 *Trouvez au moins 5 mots voisins de élégant :*

démodé - décontracté - commun - recherché - raffiné - négligé - vulgaire - classique - déguenillé - sophistiqué - soigné - distingué - dépenaillé - chic - habillé

....

....

....

4 *De quel tissu fera-t-on chaque vêtement ? (Vous avez plusieurs réponses possibles.)*

a. un manteau d'hiver
b. des sous-vêtements féminins
c. un chemisier habillé
d. une chemise d'homme
e. des collants
f. un costume d'été

1. en nylon
2. en soie
3. en coton
4. en laine
5. en lin
6. en dentelle

5 *Voici différents modèles de jupes. Attribuez un qualificatif à chacune.*

a.   b.   c.   d.   e.

....

1. portefeuille - 2. plissée - 3. à volants - 4. à godets - 5. droite

6 *La coiffure. Mettez une étiquette sous chaque type.*

a.   b.   c.

....

d.   e.

....

1. des nattes - 2. une queue de cheval - 3. des anglaises - 4. un chignon - 5. un carré

7 *Complétez ces phrases à l'aide des verbes suivants en les conjuguant :*

raccourcir - allonger - élargir - rétrécir - arrondir - amincir

Paradoxalement, en hiver, les jupes .... malgré le froid. J'ai grossi cet été ; il va falloir que je fasse .... mes vêtements. Pour paraître moins forte, je mettrai la robe noire un peu ample qui .... Elle a lavé son pull à l'eau chaude et il a .... ; elle ne pourra plus le porter, quel dommage ! Son ourlet est très mal fait ; elle va le faire .... par une retoucheuse. Les jupes droites et les vêtements longs et sombres .... la silhouette.

8 *Vous allez à un cocktail élégant. Qu'allez-vous mettre ?*

Un homme :

un gilet - un blue-jean - un spencer - un blouson - un smoking - des bottes - un nœud papillon - un chapeau - un bermuda - un chandail - des espadrilles - des richelieu

....

....

....

Une femme :

un bustier - une robe bain de soleil - des escarpins - un peignoir - une robe fourreau - une étole - un tablier - des mocassins - une voilette

....

....

....

9 «*Super ton polo, très à la mode*». *Parmi ces exclamations, lesquelles ont le même sens ?*

a. Ça fait vieillot. - *b.* C'est ringard. - *c.* C'est dans le ton. - *d.* C'est branché. - *e.* C'est à la pointe de la mode. - *f.* Dernier cri. - *g.* C'est dans le vent. - *h.* Complètement rétro ! - *i.* C'est vieux jeu. - *j.* Ça ne se fait plus. - *k.* C'est dépassé.

....

10 *Dans la liste suivante, chaque expression a son équivalent. À vous de les retrouver.*

a. le prêt-à-porter
b. une couturière
c. la haute couture
d. un défilé de mode

1. le sur-mesure
2. une petite main
3. une présentation de modèles
4. la confection

11 *Quel terme « habille » ces deux définitions ?*

1. Il coupe les costumes pour hommes.
2. Il constitue une tenue élégante pour femme.
   C'est un t...

1. Dans la vitrine, il prête une forme aux vêtements.
2. Lors d'un défilé de mode, il présente les modèles.
   C'est un m...

1. Elle désigne la partie la plus étroite du tronc.
2. Son numéro indique la largeur d'un vêtement.
   C'est la t...

12 *Que signifient les expressions suivantes ?*

a. Il est tiré à quatre épingles.
   1. Il a une tenue vestimentaire parfaite.
   2. On l'a piqué à l'essayage.

b. Elle est mal fagotée.
   1. Elle est mal faite.
   2. Elle est mal habillée.

c. Il est habillé comme l'as de pique.
   1. Il a de la chance au jeu.
   2. Il ne sait pas s'habiller.

d. Il est sur son trente et un.
   1. Il habite au numéro trente et un.
   2. Il est très élégant.

e. Elle fait du lèche-vitrines.
   1. Elle s'arrête devant les vitrines des magasins.
   2. Elle lave les vitrines.

Je te donne

Je te donne pour ta fête
Un chapeau couleur noisette
Un petit sac en satin
Pour le tenir à la main
Un parasol en soie blanche
Avec des glands sur le manche
Un habit doré sur tranche
Des souliers couleur orange :
Ne les mets que le dimanche
Un collier, des bijoux
    Tiou !

Max Jacob, Fragment de «Pour les Enfants et pour les raffinés» in *Saint-Matorel*, © Gallimard.

Tous en scène !

Des amis de Londres viennent passer le week-end à Paris. Il faut leur organiser un programme de sorties. Apprécieraient-ils un ballet à l'Opéra, ou mieux, on joue au Théâtre de la Ville une pièce dont la critique est enthousiaste! Mais ils risquent de ne pas tout comprendre. Alors? Le cinéma, c'est banal, le café-théâtre est difficile à suivre pour un étranger. La variété serait peut-être un bon compromis; Michel Jonasz passe samedi au Casino de Paris. A moins qu'ils préfèrent les Folies Bergère mais c'est un peu dépassé. Comme ils aiment danser, on pourrait en sortant d'un petit restaurant bien français, aller dans une discothèque. Après tout, je les laisserai choisir, ce sera plus simple et je serai sûre que ça leur plaira.

l'opéra   un drame   un critique   la comédie   un orchestre   les variétés
un mime   le théâtre   le cinéma   une séance   l'écran   l'éclairagiste   le guichet   un récital
la scène
le music-hall   le foyer   un petit rat   un concert   une baignoire   un tutu   les acteurs
un film   un réalisateur   le poulailler   le café-théâtre   les coulisses
le programme   la fosse   un ballet   une tragédie   un comédien   une ouvreuse
l'entracte   le cirque   le décor   une partition   le souffleur   un danseur   une loge
un rideau   un metteur en scène   une étoile   la doublure   la maquilleuse   une place   une diva
une troupe   un costume   la salle

---

1 Dans cette liste de mots, retrouvez au moins 10 métiers liés au monde du spectacle et 8 genres de spectacles différents.

....
....
....
....
....

2 *De ces trois termes,* un orchestre, un ballet, une troupe, *lequel désigne :*

a. un groupe de comédiens

....

b. un groupe de musiciens

....

c. un groupe de danseurs

....

3 *Retrouvez ici le lieu de travail de chaque personnage :*

a. la maquilleuse   1. la fosse
b. l'acrobate   2. la scène
c. l'actrice   3. la piste
d. le violoniste   4. la loge

4 *Quel est le rôle de chacun ?*

1. le comédien - 2. le producteur - 3. le costumier - 4. le metteur en scène - 5. le cadreur - 6. le figurant - 7. l'éclairagiste - 8. le concertiste - 9. le public - 10. la diva - 11. le chef d'orchestre.

a. Il applaudit ou hue l'artiste.

....

b. Il incarne un personnage secondaire.

....

c. Elle chante l'opéra.

....

d. Il fabrique les costumes.

....

e. Il dirige les musiciens.

....

f. Il interprète une œuvre musicale.

....

g. Il dirige les acteurs.

....

h. Il joue un rôle.

....

i. Il filme.

....

j. Il finance un spectacle.

....

k. Il s'occupe des jeux de lumière.

....

5 *Complétez les phrases suivantes à l'aide des mots :*

ouvreuses - souffleur - doublure - acteurs - critiques - metteur en scène

Certains .... ont écrit des articles très élogieux sur cette pièce. Le .... qui a dirigé les ....est excellent. Hier soir, l'actrice tenant le rôle principal était souffrante mais sa .... l'a très bien remplacée. Quant au ...., il ne doit pas avoir beaucoup à faire car la troupe connaît bien son texte. Il ne faut vraiment pas manquer ce spectacle et même les .... sont charmantes !

6 *Classez de la plus courte à la plus longue ces unités théâtrales :*

une pièce - une tirade - une scène - une réplique - un acte

....

....

....

7 *Complétez les phrases suivantes à l'aide des mots :*

coulisses - scène - rideau - décors - foyer - salle - balcons

La représentation commence ; la lumière baisse dans la .... ; l'orchestre et les .... sont pleins. Le .... se lève et les acteurs entrent en scène. A l'entracte, les spectateurs se rendent au .... pour prendre un verre ; ils parlent du jeu des acteurs et des .... Pendant ce temps, dans les ...., les machinistes préparent la .... pour le dernier acte.

8 *Dans cette liste, retrouvez les synonymes : (Ne tenez pas compte des nuances.)*

1. une danseuse - 2. une cantatrice - 3. un musicien - 4. un concert – 5. un acteur - 6. un public - 7. des spectateurs - 8 une diva - 9. un concertiste - 10. une étoile - 11. un comédien - 12. un récital

1 et .... 4 et ....
2 et .... 5 et ....
3 et .... 6 et ....

9 *Parmi les mots de cette liste, quel genre n'appartient pas au cinéma?*

le western - la comédie - la comédie dramatique - le roman - le policier - la science-fiction - la tragédie - le drame psychologique

10 *Complétez les phrases suivantes à l'aide des mots :*

représentation - reprise - première - relâche - matinées - séance

Ce film est déjà ancien mais il repasse à l'écran : c'est une ....

En général, les théâtres ferment un jour par semaine : ils font .... On joue cette pièce depuis longtemps, c'est ce soir sa deux cent cinquantième.........................

Une .... de cinéma dure environ 2 heures : le temps de la publicité et du film.

Les journalistes sont invités à la .... qui marque la sortie d'une pièce de théâtre ou d'un film.

Au théâtre ou dans les salles de concert, les séances en après-midi s'appellent paradoxalement des ....

11 *Pouvez-vous identifier ces personnages?*

Elle porte un tutu, des pointes et elle a souvent un chignon.
C'est une ....
Vêtu d'un habit noir queue de pie et d'une chemise blanche, il tient une baguette à la main.
Il est ....
Il a un nez rouge et de grandes chaussures. Son costume est toujours ridicule.
C'est un ....

12 *Pour chaque terme, voici trois définitions. Cochez celle qui ne convient pas.*

a. un navet
  1. un fruit ☐
  2. un légume ☐
  3. un mauvais film ☐
b. une baignoire
  1. un élément sanitaire ☐
  2. une piscine ☐
  3. une place dans un théâtre ☐
c. le poulailler
  1. le dernier étage dans un théâtre ☐
  2. la poule au pot ☐
  3. le lieu où vivent les poules ☐
d. un rat
  1. une jeune danseuse ☐
  2. un animal ☐
  3. une boisson ☐
e. une étoile
  1. une danseuse célèbre ☐
  2. un astre ☐
  3. un bijou ☐

13 *Que signifient les expressions suivantes?*

a. Faire un tabac.
  1. Ouvrir un bureau de tabac.
  2. Remporter un vif succès sur scène.
b. C'est un four.
  1. C'est un échec à propos d'un spectacle.
  2. C'est un pâtissier.
c. Monter sur les planches.
  1. Faire du théâtre.
  2. Faire de l'équilibre.
d. Se faire une toile.
  1. Partir en bateau.
  2. Aller au cinéma.
e. C'est du cinéma.
  1. C'est agréable.
  2. C'est invraisemblable.
f. Faire une scène à quelqu'un.
  1. Répéter une tirade.
  2. Se disputer avec quelqu'un.
g. Jouer la comédie.
  1. Apprendre un rôle.
  2. Feindre.

Avenue d'Iéna, au-delà de la rue de Presbourg, de grands camions sont arrêtés devant un hôtel, des lampes de forte puissance éclairent un petit attroupement. Perché sur une grue, un cameraman, le bras levé, réclame le silence, s'inclinant pour se faire entendre des comédiens que je ne distingue pas derrière la haie des badauds[1]. Je m'approche, me faufile[2]. Un homme est assis sur un banc et lit un journal, presque immobile. On ne voit pas son visage, seulement ses mains et ses jambes croisées. Un autre, jeune, en costume cintré[3] gris à rayures et chapeau noir, se tient debout derrière le banc et fixe le bout de ses mocassins. Une voix dit calmement : « Action » et le jeune homme plonge une main dans sa veste, en sort un pistolet prolongé d'un silencieux[4] noir, contourne le banc en trois pas rapides, comme un valseur, tire sur l'homme assis cinq balles à travers le journal. L'assis froisse le journal sur son cœur, s'enfouit[5] dans le papier sanglant, roule sur le trottoir, jusqu'au trait de craie indiqué par le cameraman.

— On recommence, dit la voix, c'est trop mou encore.

Michel Braudeau, *Naissance d'une passion*. Éd. du Seuil, 1985.

1. La haie des badauds : file de personnes qui regardent.
2. Se faufiler : passer entre les gens.
3. Cintré : resserré à la taille.
4. Un silencieux : ce qui permet de tirer un coup de feu sans bruit.
5. S'enfouir : *ici*, disparaître.

A la une

« Demandez France Soir ! » Le vendeur de journaux annonce quelques grands titres : « 300 morts sur les routes. Projet de réduction des impôts. Le voyage du président. » Le soir en rentrant chez lui, Jean-Marc achète toujours Le Monde. Il passe souvent ses soirées à l'éplucher en détail. Il préfère ça à la télé dont les programmes sont souvent de qualité douteuse. Thomas, lui, a un peu de temps libre et préfère les soirées entre copains. Il change souvent d'hebdomadaires et fait son choix en fonction des dossiers proposés. Le Point, Le Nouvel Obs, l'Événement du Jeudi, il va de l'un à l'autre. Pauline adopte la même attitude mais elle feuillette souvent un magazine féminin comme Elle ou Marie-Claire. La première rubrique qu'elle lit, c'est le courrier du cœur ou l'horoscope, juste pour rire !

un quotidien — un journal — un chroniqueur — un titre — un hebdomadaire — la une — une édition spéciale — un lecteur — un mensuel — un abonnement — un fait divers — une revue — un périodique — un chapeau — un kiosque — un bulletin — un article — un numéro — un bi-mensuel — le courrier — une bande dessinée — l'éditorial — un reportage — un correspondant — le tirage — une colonne — un supplément — les annonces — un gros titre — le typographe — le carnet — les médias — une parution — le rédacteur — la diffusion — la publicité — un exemplaire — un trimestriel — un journaliste — un magazine — une chronique

---

1 Retrouvez dans cette liste 4 professionnels de la presse.

....

....

2 Classez ces différents supports de presse selon leur périodicité ; commencez par le plus fréquent :

a. un mensuel - b. un hebdomadaire - c. un trimestriel - d. un annuel - e. un quotidien - f. un bi-mensuel - g. un semestriel

....

....

3 Classez les différentes parties d'un journal :

a. Du plus petit au plus grand :
un article - un chapeau - une rubrique - un titre

....

....

b. Du plus long au plus court :
une pleine page - un entrefilet - une colonne - un paragraphe

....

....

4 *À chacun son métier.*

a. Il s'occupe de la typographie, de l'impression.
b. Il est employé par le journal pour envoyer des nouvelles d'un lieu éloigné.
c. Il est spécialisé dans les reportages.
d. Il décide l'orientation du journal.
e. Journaliste indépendant, il est rétribué à la ligne.
f. Il écrit une «introduction» pour chaque numéro.

1. Il est reporter.
2. Il est pigiste.
3. Il est éditorialiste.
4. Il est rédacteur en chef.
5. Il est typographe.
6. Il est envoyé spécial.

5 *Complétez les phrases suivantes à l'aide des mots :*

manchette - rubrique - une - chapeau - colonnes - tirage - critique

Le texte court qui suit le titre et présente l'article s'appelle un .... La .... est un gros titre écrit en caractères gras très lisibles. Il y a généralement cinq .... par page dans les quotidiens français. Ce film n'a pas reçu une .... très favorable. Dans la .... sportive, j'ai lu que la durée du Tour de France serait réduite cette année. Les élections présidentielles ont occupé la .... de tous les quotidiens pendant plusieurs semaines. Le quotidien *Libération* a un .... de 277 136 exemplaires.

6 *Quelles rubriques peut-on trouver dans un quotidien national d'information ? (Soulignez-les.)*

a. la météo - b. l'actualité régionale - c. les sports - d. les faits divers - e. le calendrier juridique - f. la mode - g. une fiche bricolage - h. l'économie - i. les petites annonces - j. la politique - k. le coin du pêcheur - l. le feuilleton

7 *En jargon journalistique, un chapeau est un texte court qui présente un article. Que désignent les expressions suivantes ?*

a. une coquille
b. une perle
c. un scoop
d. un papier
e. à la une

1. en première page
2. un article
3. une faute typographique
4. une erreur grossière et ridicule
5. une nouvelle importante donnée en primeur

8 *Voici quelques extraits d'articles ou des titres ; attribuez-leur la rubrique correspondante.*

a. Le ciel parisien se dégagera vers 13 heures...
b. Le dollar est en baisse...
c. Creux de la vague pour la marine marchande...
d. L'automobiliste, âgé de 25 ans, a trouvé la mort...
e. Urgent : société de prêt-à-porter recherche couturière...
f. Le programme des demi-finales : aujourd'hui RFA-Hollande...
g. Les divorces en France pourraient atteindre le seuil de 33 %...
h. La Chine construit une nouvelle version plus puissante de sa fusée «Longue Marche»...
i. La discussion sur le positionnement politique et les alliances n'a été qu'esquissée.

1. Finance.
2. Faits divers.
3. Monde.
4. Société.
5. Économie.
6. Météo.
7. Sports.
8. Politique.
9. Annonces.

9 *Que trouve-t-on dans... ? (Soulignez la bonne réponse.)*

a. Le guide des spectacles :
  1. L'entrée des artistes.
  2. Des informations sur les spectacles.

b. La presse du cœur :
1. Des reportages sur les maladies cardiaques.
2. Des histoires sentimentales.

c. Un journal satirique :
1. Des caricatures.
2. Des reportages objectifs.

d. Un illustré :
1. Un magazine sur des personnes illustres.
2. Un périodique composé de photos et de dessins.

e. La presse à sensation :
1. Des nouvelles fantastiques.
2. Des faits divers qui suscitent l'intérêt populaire.

10 *Quel est l'équivalent de :*

a. Un magazine
1. Un commerce
2. Une revue

b. Un annonceur
1. Une personne qui fait de la publicité
2. Une personne qui lit une petite annonce

c. Un rédacteur
1. Un journaliste
2. Un typographe

d. Un correspondant
1. Un critique
2. Un envoyé spécial

e. Un chroniqueur
1. Un malade chronique
2. Un journaliste

L'Express était sans doute l'hebdomadaire dont ils faisaient le plus grand cas[1]. Ils ne l'aimaient guère, à vrai dire, mais ils l'achetaient, ou, en tout cas, l'empruntant chez l'un ou chez l'autre, le lisaient régulièrement, et même, ils l'avouaient, ils en conservaient fréquemment de vieux numéros. Il leur arrivait plus que souvent de n'être pas d'accord avec sa ligne politique (un jour de saine colère, ils avaient écrit un court pamphlet[2] sur «le style du Lieutenant») et ils préféraient de loin les analyses du *Monde*, auquel ils étaient unanimement fidèles, ou même les prises de position de *Libération*, qu'ils avaient tendance à trouver sympathique. Mais *L'Express*, et lui seul, correspondait à leur art de vivre.

Georges Pérec, *Les Choses*, Éd. Julliard.

1. Faire cas de : apprécier.
2. Un pamphlet : une violente critique.

Comment on y va?

● « *Dépêche-toi, on va rater le train. Alors pour Cahors, Montauban, Toulouse... Vite ! voie 13 quai B. Zut ! j'ai oublié de composter les billets. J'y vais en vitesse ; tiens, prends les bagages ; je te retrouve dans le compartiment. Tu as bien dit voiture 35, couchettes 42 et 44 ! Allez ! ne fais pas cette tête ; ne t'inquiète pas, même si le train démarre je pourrai toujours le prendre en marche !* »

● « *Alors, il faut prendre la direction Gallieni. Ah, voilà la ligne Pont-de-Levallois-Gallieni ; changer à Saint-Lazare, prendre la direction Mairie d'Issy et descendre à la station Notre-Dame-des-Champs. Finalement, ce n'est pas très compliqué d'aller à l'Alliance Française, même en métro. Alors, aucune excuse pour arriver en retard !* »

l' avion — un pétrolier — une automobile — des patins à roulettes — un billet — la bicyclette — un paquebot — un car — une fusée — le métro — un tortillard — un cargo — un scooter — un autocar — des skis — une péniche — un voilier — un camion — un véhicule — un hélicoptère — une moto — un train — une micheline — un bateau-mouche — la voiture — un contrôleur — l' autobus — un ticket

---

1 | *Retrouvez dans cette liste :*

a. 3 transports aériens - *b.* 5 transports terrestres - *c.* 5 transports sur l'eau - *d.* 3 transports de marchandises - *e.* 3. transports de personnes.

2 | **Autocar *et* autobus. *Lequel est urbain, lequel est interurbain ?***

....
....

3 | ***Vous traversez une région magnifique et vous souhaitez avoir le temps de découvrir le paysage. Choisissez les deux trains les plus lents :***

l'express - la micheline - le tortillard - le rapide - le direct - l'omnibus

....

4 | ***Que doit payer un passager pour voyager ?***

a. en train - *b.* en avion - *c.* en métro

un billet - des frais de frêt - un ticket - un port - une carte - un abonnement

....
....
....

5 | **« *A pied, à cheval ou en voiture.* » Introduisez les autres moyens de transport par à ou en :**

a. .... vélo   *f* . ... train
b. .... moto   *g.* .... bicyclette
c. .... bateau   *h.* .... camion
d. .... autocar   *i* . ... hélicoptère
e. .... avion

6 *Comment dites-vous en argot ?*

a. une voiture - *b.* un avion - *c.* un bateau - *d.* un vélo

1. un rafiot - 2. une tire - 3. un zinc - 4. une bécane

....
....

7 *Identifiez les différentes parties :*

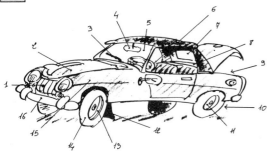

a. le pare-brise - *b.* l'aile avant - *c.* la plage arrière - *d.* le pare-chocs - *e.* la roue - *f.* le tableau de bord - *g.* le capot - *h.* le rétroviseur - *i.* le pare-boue - *j.* le coffre - *k.* l'enjoliveur - *l.* la calandre - *m.* le pneu - *n.* la jante - *o.* la lunette arrière - *p.* l'essuie-glace

8 *a. Vous partez en croisière, quelle embarcation choisissez-vous ? Citez-en 2 :*

un pétrolier - un porte-avion - un voilier - une barque - un cargo - une gondole - un paquebot - une péniche.

....

b. En revanche, que choisirez-vous pour transporter des matériaux de construction ?

....

9 *Dans le métro. Complétez les phrases suivantes à l'aide des mots :*

rame - quai - correspondance - direction - voiture - escaliers roulants - plan

Avant de monter dans le métro, il faut vérifier sur le .... la .... à prendre après avoir repéré le nom de la station où l'on veut s'arrêter. S'il y a un changement, il faut descendre à la .... Certains couloirs sont longs mais ils sont parfois équipés d'........................, ce qui évite beaucoup de fatigue. En général, la .... n'est pas longue à venir et il suffit d'attendre quelques minutes sur le .... avant de monter dans une .... déjà pleine d'usagers.

10 *Restituez à chacun son véhicule :*

a. la péniche
b. le corbillard
c. le taxi
d. le camion poids lourd
e. la dépanneuse
f. la locomotive
g. la fusée
h. l'automobile
i. le bus
j. l'avion
k. la voiture de course
l. l'ambulance
m. la moto
n. la voiture de maître

1. l'astronaute
2. l'infirmier
3. l'employé des pompes funèbres
4. le conducteur
5. le chauffeur
6. le routier
7. le garagiste
8. le mécanicien
9. le marinier
10. le pilote de ligne
11. le motard
12. le pilote

11 *Parmi ces avions : un zinc, un hydravion, un bombardier, un coucou et un planeur, lequel...*

a. est utile en temps de guerre ?
....

b. désigne un avion en argot ?
....

c. fait vraiment pièce de musée ?
....

d. se pose sur l'eau ?
....

e. n'a pas de moteur indépendant ?
....

12 *Retrouvez le lieu de départ de chaque moyen de transport :*

a. la gare
b. la station
c. l'aéroport
d. le port
e. l'héliport

1. l'avion
2. l'hélicoptère
3. le métro
4. le train
5. le bateau

a. Une voiture de tête.
   1. Une voiture prestigieuse.
   2. La première voiture d'un train.

b. Mener grand train.
   1. Conduire un train.
   2. Vivre dans le luxe.

c. C'est un veau.
   1. Un plat régional.
   2. Une voiture lente et molle.

d. Un transport amoureux.
   1. Une ivresse sentimentale ou sensuelle.
   2. Un acheminement agréable.

e. Mener quelqu'un en bateau.
   1. Raconter une histoire à quelqu'un pour plaisanter.
   2. Faire faire une croisière à quelqu'un.

f. Arriver avec un métro de retard.
   1. Être décalé par rapport aux autres.
   2. Attendre la rame suivante.

g. Mettre les gaz.
   1. Allumer le chauffage.
   2. Faire vite.

Le train pour Paris partait à 11 h 48. Dès le début de la matinée, Idriss errait[1] dans la gare Saint-Charles [...] Il interrogeait ses maigres connaissances géographiques pour essayer d'imaginer la destination des convois[2] qu'il voyait s'ébranler[3] vers Gênes, Toulouse ou Clermont-Ferrand. Il tentait d'établir un lien entre ces villes et les affiches de la SNCF où l'on voyait le mont Saint-Michel, Azay-le-Rideau, Versailles ou la pointe du Raz. Pourquoi ces hauts lieux de l'imagerie française[4] ne correspondaient-ils jamais aux grandes cités où allaient les trains et les travailleurs qu'ils transportaient ? Il y avait là, semblait-il, deux mondes sans rapport, d'une part la réalité accessible, mais âpre[5] et grise, d'autre part une féerie douce et colorée, mais située dans un lointain impalpable[6].

Michel Tournier, *La Goutte d'or*, Éd. Gallimard, 1985.

1. Errer : marcher sans but.
2. Un convoi : *ici*, un train.
3. S'ébranler : partir.
4. Haut lieu de l'imagerie française : lieu historique connu de tous les Français.
5. Âpre : *ici*, dure.
6. Impalpable : inaccessible.

Pleins feux sur la ville !

Le quartier Bastille est en train de changer. Des îlots entiers ont été rasés. La place a bien sûr été épargnée mais elle est méconnaissable depuis la mise en chantier du nouvel Opéra. Les bâtiments voisins ont été restaurés, certains conservant leur ancienne façade. Le contraste avec les ruelles et les passages menant à des cours intérieures est d'autant plus frappant. Le plan d'aménagement de cette zone est intéressant, jouant sur la diversité des activités artistiques, culturelles et artisanales propres aux habitants du quartier.

des remparts   un quartier   un trottoir   une avenue   un bâtiment   un square   un théâtre

un faubourg   le centre ville   une cathédrale   un pâté de maisons   la signalisation   une artère

un gymnase   un pavillon   la banlieue   une zone   une allée

la voie ferrée   un passage clouté   une gare   un souterrain   une place   une résidence   le château

un gratte-ciel   un cinéma   un rond-point   un feu tricolore   un boulevard

un carrefour   le quai   une piscine   une agglomération

la chaussée   un stade   un centre commercial   un pont   un arrondissement

un immeuble   un jardin public   une rue

un terre-plein   une contre-allée

1 *Dans cette liste, retrouvez 2 noms d'espaces verts :*

....

2 *Classez ces différentes voies de la plus fréquentée à la moins fréquentée :*

l'avenue - l'impasse - la rue - la ruelle

....

....

Classez ces différents éléments du plus petit au plus grand :

le quartier - l'immeuble - l'arrondissement - l'appartement - l'agglomération - le pâté de maisons

....

....

....

....

3 *Qui emprunte... ?*

a. la piste cyclable   1. le piéton
b. la chaussée   2. l'automobile
c. la voie ferrée   3. le vélo
d. le canal   4. le train
e. le trottoir   5. le métro
f. le souterrain   6. la péniche

4 *Parmi ces éléments, lesquels appartiennent traditionnellement au village ?*

la station de métro - l'église - le café - la mairie - le bureau de poste - le gratte-ciel - le monument aux morts - le ministère - le tribunal - le centre commercial

....
....
....

5 *Complétez les phrases suivantes à l'aide des mots :*

remparts - donjon - abbaye - clocher - porte - pont-levis

Pour entrer dans la vieille ville, passez par la .... Saint-Jean ; si vous avez le temps, montez en haut des .... et faites-en le tour : la vue est superbe ! Vous verrez à gauche une haute tour, c'est le .... du château. Juste à côté se dresse le .... de l'église Saint-Antoine. Quittez les remparts à l'ouest, vous longerez les murs de l'.......................; n'oubliez pas de jeter un œil sur son cloître. Enfin, vous emprunterez le .... pour sortir de la vieille ville.

6 *Quelle est la caractéristique de chacune des personnes suivantes ?*

a. Le citadin...
b. L'urbaniste...
c. Le provincial...
d. Le rural...
e. Le riverain...

1. vit à la campagne.
2. réside au bord d'une rivière ou dans une allée privée.
3. habite en ville.
4. aménage un quartier, une ville.
5. ne vit pas dans la capitale.

7 *Distinguez les 5 bâtiments administratifs des autres :*

le château - la préfecture - le cloître - le donjon - le commissariat - la perception - la forteresse - l'hôtel de ville - la cathédrale - la poste

....
....
....

8 *Classez par ordre d'importance :*

un hameau - un bourg - un village - une ferme - une ville - une métropole

....
....
....

9 *Classez ces zones urbaines du centre vers la périphérie :*

la proche banlieue - le centre ville - la grande banlieue - les faubourgs

....
....
....

10 *Parmi ces lieux, quels sont ceux destinés aux loisirs ?*

la préfecture - le théâtre - le gymnase - la piscine - le tribunal - la chambre de commerce - l'hôtel de ville - la patinoire - l'aire de jeux - le cinéma - le conservatoire de musique - l'hôpital - le commissariat - la bibliothèque - le centre culturel

....
....
....
....
....

11 *Trouvez les synonymes :*

a. un carrefour
   1. une place
   2. une intersection

b. un parvis
   1. une esplanade
   2. une rue

c. un tunnel
   1. un souterrain
   2. un pont

d. une impasse
   1. une voie sans issue
   2. une avenue

e. une artère
   1. une grande rue
   2. un cul-de-sac

f. un parking
   1. un garage de mécanique
   2. un parc de stationnement

g. un square
   1. une cour
   2. un jardin public

h. une mairie
   1. un bureau de poste
   2. un hôtel de ville

12 *Complétez les phrases suivantes en utilisant les mots :*

station balnéaire - ville thermale - villes champignons - villes satellites - vieille ville - centre ville - cité dortoir

Autour de Paris, les villes nouvelles se multiplient très vite ; ce sont des .... ; une ville de banlieue que les habitants désertent chaque matin pour aller travailler s'appelle une ....

Tous les ans, ma grand-mère part en cure pour Luchon, une .... réputée pour ses eaux.

Autour des grands centres urbains, les .... sont de plus en plus nombreuses. Pour rien au monde je ne vivrais en banlieue ; je préfère le ...., même si c'est plus bruyant.

Tous les étés elle passe ses vacances dans la même ....

La .... de Carcassonne a beaucoup de charme avec ses remparts et ses tours.

Ville de Nice

Je suis descendu de la gare par le boulevard Gambetta. Les gens avaient l'air de flâner[1]. Je me trompais peut-être. On paraît en vacances quand on porte des habits clairs. C'était l'heure des livraisons [...]. Une queue s'était déjà formée devant l'entrée d'une Caisse de retraites. Un agent de police, assis sur un banc, enfilait des manchettes blanches.

Plus bas, sur la promenade des Anglais, un groupe de laveurs de carreaux fixaient[2] la façade du Negresco[3]. Ils avaient déposé contre un banc, entre deux bacs à fleurs, leurs longs balais, leurs échelles spéciales, à bouts emmaillotés[4]. Ils comptaient le nombre de fenêtres et le résultat les accablait.

Erik Orsenna, *L'Exposition coloniale*. Éd. du Seuil, 1988.

1. Flâner : se promener sans but.
2. Fixer : regarder avec attention.
3. Le Negresco : un grand hôtel niçois.
4. Emmailloté : entouré de tissu.

Les temples de la consommation

Faire les courses prend un temps fou ; alors plutôt que de passer à la boucherie, à la boulangerie, à la crémerie et chez le marchand de légumes, je préfère m'approvisionner au supermarché. C'est beaucoup plus rapide de pousser le caddie au hasard des rayons, de se servir et de tout payer à la caisse. Pour les petites courses traditionnelles, je n'ai plus qu'à passer chez le teinturier, le cordonnier ou le fleuriste en allant chez la boulangère ou au kiosque. Quel gain de temps et le réfrigérateur est toujours plein !

une boutique — une boucherie — un épicier — un gérant — un représentant — un centre commercial — un commerce — un grossiste — une faillite — un commis — la vente — un commerçant — une vitrine — une ristourne — une livraison — un étalagiste — une étiquette — un rayon — une caisse — la monnaie — une boulangerie — un paquet — un comptoir — le client — une enseigne — le prix — une galerie marchande — un libre-service — un détaillant — un vendeur — une succursale — un étalage — un supermarché — les soldes — un présentoir

---

1 Cherchez dans cette liste le nom de 5 professionnels de la vente.

....

....

....

2 Parmi les commerces suivants, soulignez les magasins d'alimentation :

une droguerie - la boulangerie - le salon de coiffure - le magasin de primeurs - la papeterie - la boucherie - la crémerie - la teinturerie - la pâtisserie - l'agence de voyages - le magasin d'antiquités - le glacier - l'agence immobilière - la quincaillerie - la pharmacie

3 En France, certains magasins sont signalés par une enseigne. Laquelle ?

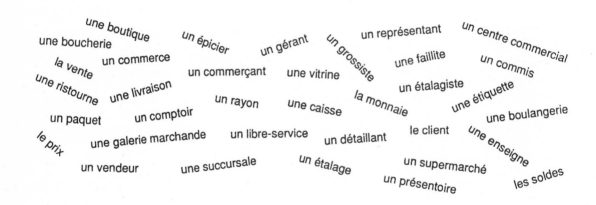

1. ..... 2. ..... 3. ..... 4. ..... 5. ..... 6. .....

a. une cordonnerie - b. une serrurerie - c. une charcuterie - d. une boucherie chevaline - e. une pharmacie - f. un bureau de tabac

4 *Complétez les phrases suivantes à l'aide des mots :*

boucher - pâtissier - poissonnerie - boulangerie - crémerie

J'achète toujours mon pain à la même .... mais je change souvent de .... : les fromages sont plus variés. Mon .... me sert bien; il me donne toujours de la bonne viande. Je vais à la .... le vendredi car les poissons sont très frais. Pourrais-tu me donner le nom de ton ....? Ces gâteaux sont vraiment délicieux.

5 *Qui vend quoi? Attribuez à chacun des commerçants suivants, les marchandises correspondantes.*

a. le marchand de primeurs
b. l'herboriste
c. le grainetier
d. le crémier
e. le droguiste
f. le traiteur

1. des pinceaux, des éponges, des produits d'entretien
2. des crudités, des plats chauds, des desserts
3. des œufs, du lait, du fromage
4. des légumes, des fruits
5. des plantes aromatiques, des épices
6. des lentilles, des arachides, des pruneaux

6 *Attribuez à chacun des professionnels suivants son local commercial.*

a. le marchand de vins
b. le buraliste
c. l'esthéticienne
d. l'épicier
e. le droguiste
f. le teinturier
g. l'antiquaire
h. le marchand de journaux

1. une teinturerie
2. un magasin de brocante
3. une parfumerie
4. un bureau de tabac
5. une épicerie
6. un kiosque
7. une droguerie
8. une cave

7 *On va chez le garagiste et au garage. Complétez les phrases suivantes à l'aide de :*

au - à la - à l' - chez le - chez la - chez l'

.... supermarché on gagne un temps fou, alors je ne vais plus .... boucher et .... épicerie.

.... boulangerie j'ai rencontré une voisine qui m'a raconté une drôle d'histoire.

Il faut que tu conduises ta voiture .... garage, la porte du coffre ne ferme plus du tout.

En allant .... pharmacie, j'ai trouvé une pièce de 10 F par terre.

Je n'ai plus de cigarettes, je dois passer .... bureau de tabac.

8 *Retrouvez les contraires :*

a. un détaillant
b. un vendeur
c. un petit commerce
d. une vente

1. une grande surface
2. un achat
3. un grossiste
4. un client

Retrouvez le synonyme de :

e. une ristourne
   1. une note
   2. une réduction
f. une faillite
   1. une faute
   2. une liquidation

g. les soldes
   1. un salaire
   2. une braderie
h. une succursale
   1. une vendeuse
   2. une filiale

9 *Complétez les phrases suivantes à l'aide des mots :*

soldes - faillite - points de vente - enseigne - rayon - ristourne

Les petits commerces sont traditionnellement surmontés d'une .... qui permet de les repérer de loin. J'ai payé ma voiture comptant alors j'ai demandé une .... de 5% et le garagiste a accepté. Ce magasin marche très bien; il a

ouvert plusieurs .... dans la ville.
En revanche, celui-ci a fait ...., il
a fermé le mois dernier. Au mois de janvier,
il y a toujours foule au .... linge
de maison des grandes surfaces. Les gens
attendent la période des .... pour
s'habiller, c'est tellement moins cher.

10 *Classez les verbes suivants en deux caté-
gories selon qu'ils désignent les actions du
client ou du vendeur :*

a. comparer - *b.* proposer - *c.* choisir -
d. offrir - *e.* faire l'article - *f.* hésiter -
g. mettre en rayon - *h.* discuter le prix -
i. payer - *j.* vendre - *k.* emballer -
l. acheter - *m.* faire une démonstration -
n. rendre la monnaie - *o.* essayer - *p.* faire
la queue - *q.* marchander - *r.* demander
le prix

Le client :

....

....

Le vendeur :

....

....

11 *Qui fait quoi ?*

a. Le commis   *e.* L'étalagiste
b. Le représentant   *f.* Le gérant
c. Le grossiste   *g.* Le livreur
d. Le détaillant   *h.* L'acheteur

1. porte la marchandise chez le particulier
   et le détaillant.
2. dirige un magasin pour le compte
   d'autrui.
3. vend ses produits aux particuliers.
4. dispose les marchandises en vitrine.
5. s'occupe des petits travaux dans un
   magasin.
6. présente et propose les produits chez les
   détaillants.
7. vend la marchandise aux détaillants.
8. achète la marchandise pour le compte
   d'un grand magasin.

12 *Trouvez un synonyme pour chacune des
expressions suivantes :*

a. Il vend à prix coûtant.
   1. Il vend très cher.
   2. Il vend sans bénéfice.

b. Il gonfle les prix.
   1. Il majore les prix.
   2. Il vend des ballons.

c. Il casse les prix.
   1. Il solde.
   2. Il vend du bois.

d. Il fait des prix.
   1. Il accorde des réductions sur les prix.
   2. Il écrit le prix sur les étiquettes.

e. C'est hors de prix.
   1. Ce n'est pas étiqueté.
   2. C'est très cher.

f. Ça n'a pas de prix.
   1. Cela a une très grande valeur.
   2. Ce n'est pas à vendre.

Marseille commençait à s'éveiller.

Le garçon boucher releva le demi-rideau de fer peint en vert olive
qui masquait la moitié supérieure de la boucherie. Cela fit un bruit
métallique et violent, mais le garçon boucher pouvait siffler encore
plus fort et le fit. Il sifflait *La Valse de Palavas n'est pas la lavasse
de l'agence Havas*, une rengaine[1] obsédante apprise à la radio qui la
débitait[2] en tranches interminables à longueur de journée.

Puis le garçon boucher souleva la grille métallique en trois parties qui obturait[3] la partie inférieure du magasin et la rangea dans
l'endroit idoine[4]. Ceci fait, il balaya la sciure répandue la veille et
se tourna les pouces en cadence.

Le pas du patron, dans le couloir, lui rappela quelque chose. Il se
rua sur un beau couteau tout neuf acheté la veille et se mit à le
passer frénétiquement sur le fusil[5].

Boris Vian, *Le loupgarou*, Christian Bourgois éditeur.

1. Une rengaine : une chan-
son.
2. Débiter : *ici*, diffuser.
3. Obturer : cacher, bou-
cher.
4. Idoine : approprié, adé-
quat.
5. Un fusil : *ici*, une pierre à
affûter les couteaux.

Comment allez-vous?

• *Depuis quelques jours, Émilie se sent patraque : elle a la tête lourde, l'estomac à l'envers, un profond dégoût pour tout. Son dynamisme et sa mine superbe de l'été dernier ont fondu comme neige au soleil. Ses amis sont inquiets pour elle : une mine de papier mâché, des vertiges, une perte d'appétit, elle couve sûrement quelque chose. Qu'elle aille voir un médecin, il ne faut pas jouer avec sa santé !*

• *Quel entrain, Antoine est dans une forme athlétique lorsqu'il part faire le tour du lac au pas de course : respiration bien régulière, mouvements cadencés, il a fière allure dans sa tenue de sportif. Ce garçon a vraiment une santé de fer, pourvu que ça dure !*

un vaccin — une douleur — l'appétit — la guérison — la fièvre — le pharmacien — la vitalité — le repos — le sommeil — les médicaments — la diète — la fatigue — la convalescence — l'infirmière — les bains de mer — le lit — le grand air — le thermomètre — le kinésithérapeute — le radiologue — une promenade — les pilules — une grippe — le médecin — la pharmacie

---

1 *Parmi ces mots, retrouvez les professionnels de la santé :*

....
....
....
....
....

2 *Vous êtes malade ; de quoi avez-vous besoin ? Rayez les mots inutiles.*

un sirop de grenadine - un thermomètre - une pastille pour la toux - la fermière - un chronomètre - du sirop pectoral - un lit - du calme - une infirmière - un courant d'air - un baromètre - une couverture

3 *Qui est malade, qui ne l'est pas ?*

un souffre-douleur - il a mal au cœur - elle a le cœur meurtri - il a du mal à partir - il souffre affreusement - elle a la fièvre du départ - il a mal à la tête - il a de la fièvre

4 *Classez ces états, du plus malade au mieux portant :*

a. être en pleine forme - *b.* avoir une petite mine - *c.* être patraque - *d.* aller bien - *e.* être plein d'entrain - *f.* être mal en point - *g.* être à plat - *h.* avoir bonne mine - *i.* avoir une petite santé - *j.* avoir une santé de fer

À vous :

1. *f.* Être mal en point... ....
....
....
....
....
....
....
.... *j.* Avoir une santé de fer.

5 *Distinguez les caractéristiques du bien portant et celles du malade :*

la force - la faiblesse - la fatigue - la déprime - l'entrain - l'abandon - l'étiolement - le tonus - l'enthousiasme - le pessimisme - le dynamisme

....
....
....
....

6 *Pour chacun de ces termes, retrouvez deux synonymes :*

a. une pilule
  1. un bonbon
  2. une gélule
  3. une pastille
  4. une confiserie

b. la fièvre
  1. la chaleur corporelle excessive
  2. un virus
  3. la température
  4. l'humidité

c. une maladie
  1. un dérangement
  2. une anomalie
  3. à l'aise
  4. une indisposition

d. la convalescence
  1. le repos
  2. le rétablissement
  3. l'incandescence
  4. la rechute

e. la santé
  1. la forme
  2. la mine
  3. la pêche
  4. l'agonie

7 *Complétez les phrases suivantes à l'aide des mots :*

rechute - convalescent - traitement - faiblesse - médecin - médecine - santé

Ce pauvre Arthur a vraiment une petite .... : presque toutes les semaines, le .... vient chez lui pour lui prescrire un nouveau .... La .... apporte un léger mieux mais à peine Arthur est-il .... qu'il fait une .... et retombe dans un grand état de .... A mon avis, il file un mauvais coton !

8 *Parmi ces noms, 4 ne désignent pas des maladies ; lesquels ?*

la rougeole - une otite - l'homéopathie - les oreillons - une hépatite - une fracture - une inhalation - la scarlatine - la varicelle - un vaccin - la coqueluche

....
....

9 *Cette ordonnance risque d'être bizarrement interprétée ! Conseillez le malade sur la manière de prendre chaque médicament.*

a. une pastille
b. vingt-cinq gouttes
c. cinq minutes
d. un suppositoire
e. une cuillère
f. une application

1. de pommade
2. de sirop
3. au coucher
4. à sucer
5. de solution sédative
6. d'inhalation

---

10 *Complétez les phrases par les mots suivants :*

dentiste - médecin généraliste - infirmier - radiologue - diététicien - pharmacien - kinésithérapeute - psychologue

Il doit faire équilibrer ses menus par un........................, c'est son .... qui le lui a recommandé ; son alimentation était beaucoup trop riche. Son médecin lui a également prescrit quelques médicaments ; il va passer chez le .... Pour soulager ses douleurs rhumatismales, l'........................ va lui faire une série de piqûres et le .... vérifiera par radio s'il n'y a pas de lésion grave. Si ça ne suffit pas, il va se faire masser par le .... Par ailleurs, il devrait prendre rendez-vous chez le .... car ses dents sont en mauvais état ; quant à son moral, une visite chez le .... lui ferait grand bien !

---

11 *Ces expressions ont été mélangées ; pouvez-vous les retrouver ?*

a. Avoir une fièvre...
b. Être malade...
c. C'est un remède...
d. Il est dans une forme...
e. Être blanc...
f. Avoir une santé...

1. d'athlète.
2. de bonne femme.
3. de fer.
4. comme un linge.
5. de cheval.
6. comme un chien.

---

12 *Quelle expression chacune de ces images illustre-t-elle ?*

a. 1. Prendre le pouls.
2. Chercher des poux.

b. 1. Surveiller le lit.
2. Garder le lit.

c. 1. Ne pas faire d'excès.
2. Accès interdit.

d. 1. Attirer l'attention.
2. Prendre la tension.

13 *Trouvez ce que signifient les expressions suivantes :*

a. Il n'est pas dans son assiette.
   1. Il n'a pas mis la table.
   2. Il ne se sent pas bien.

b. Elle se porte comme un charme.
   1. Elle est vraiment charmante.
   2. Elle est en excellente santé.

c. Elle respire la santé.
   1. Elle est en pleine forme.
   2. Elle a une bonne respiration.

d. Il relève d'une longue maladie.
   1. Il apprend à marcher.
   2. Il est en convalescence.

e. Il a une mine de papier mâché.
   1. Il a mauvaise mine.
   2. Il a de belles couleurs.

f. Elle a du plomb dans l'aile.
   1. On lui a tiré dessus.
   2. Elle ne va pas bien.

Plume avait un peu mal au doigt.

— Il vaudrait peut-être mieux consulter un médecin, lui dit sa femme. Il suffit souvent d'une pommade...

Et Plume y alla.

— Un doigt à couper, dit le chirurgien, c'est parfait. Avec l'anesthésie, vous en avez pour six minutes tout au plus. Comme vous êtes riche, vous n'avez pas besoin de tant de doigts. Je serai ravi de vous faire cette petite opération. Je vous montrerai ensuite quelques modèles de doigts artificiels. Il y en a d'extrêmement gracieux. Un peu chers sans doute. Mais il n'est pas question naturellement de regarder à la dépense. Nous vous ferons ce qu'il y a de mieux.

Plume regarda mélancoliquement son doigt et s'excusa.

— Docteur, c'est l'index, vous savez, un doigt bien utile.

Henri Michaux, *Plume*, Éd. Gallimard, 1938.

A table!

Ce soir, dîner surprise ; Joseph fait la cuisine. On peut s'attendre à tout : cuisine exotique, traditionnelle ou créative ? Je suis un peu méfiante car il n'a rien d'un cordon bleu. Mais après tout, c'est le geste qui compte. Le problème c'est que lorsqu'il sortira de la cuisine, la vaisselle, les casseroles, les ustensiles sales s'entasseront dans l'évier, le four sera à nettoyer et tous les ingrédients à ranger. Mais, j'y pense : un nouveau restaurant japonais vient d'ouvrir à deux pas ; ce serait peut-être l'occasion de l'essayer. Ça me paraît une bien meilleure idée.

une soupière   un buffet   un batteur   un serveur   une collation   une dégustation   le fourneau   une cuisinière   le congélateur   un sommelier   un réveillon   la cantine   le couvert   un chef   un pique-assiette   un festin   un plat   le réfectoire   gober   un convive   un cordon bleu   un maître d'hôtel   une cocotte   un torchon   le gargotier   un goinfre   savourer   une passoire   accomoder   un pique-nique

---

1 *Dans cette liste, recherchez 6 noms de métiers, 6 noms de pièces de vaisselle et d'ustensiles de cuisine et 3 noms de lieux où l'on prend des repas.*

....
....
....
....

2 *Voici un menu de cuisine traditionnelle. A vous de mettre de l'ordre dans les plats :*

Entrée ....

Plat de résistance ....

Dessert ....

1. rôti de porc
2. concombre à la crème
3. crème à la vanille
4. champignons en salade
5. croquettes de pommes de terre

3 *Petit déjeuner, déjeuner, goûter ou dîner ? A quel repas prendrez-vous :*

a. un potage au cresson - *b.* un pain au chocolat - *c.* une charlotte aux pommes - *d.* un steak-frites - *e.* un croissant - *f.* un verre de vin - *g.* un sandwich jambon-beurre - *h.* une soupe à l'oignon - *i.* une tartine beurrée

....
....
....
....

4 *Vous dressez la table. Parmi les éléments suivants, que choisirez-vous ?*

a. une salière - *b.* une écumoire - *c.* une assiette - *d.* un verre à pied - *e.* une cocotte - *f.* un couteau - *g.* un saladier - *h.* un torchon - *i.* une pierre à aiguiser - *j.* une nappe - *k.* une carafe - *l.* une fourchette - *m.* un bol - *n.* un tonneau - *o.* une serviette - *p.* un dessous-de-plat

5 *Contenus et contenants :*

Dans une soupière, on met de la soupe et dans le poivrier, on met le poivre. Dans quoi met-on le sel, le sucre, le vinaigre, le café, le thé ?

....
....
....

Classez du plus petit au plus grand :

a. un kilo - *b.* une poignée - *c.* une pincée - *d.* une cuillerée - *e.* une livre - *f.* un verre

....

6 *Restituez à chaque ingrédient une quantité (plusieurs réponses sont possibles) :*

a. un litre	1. de tomates
b. un doigt	2. de pommes de terre
c. 100 grammes	3. de citron
d. une pincée	4. de sucre
e. un kilo	5. de moules
f. une poignée	6. de sel
g. un zeste	7. d'ail
h. une botte	8. de madère
i. une cuillerée	9. de lentilles
j. un paquet	10. de radis
k. une livre	11. de pâtes
l. une gousse	12. de piment doux

7 *Complétez les phrases suivantes en conjuguant les verbes :*

éplucher - mijoter - rissoler - bouillir - saisir - dorer - peler - sauter

Les viandes rouges doivent être .... à four chaud. Lavez les carottes après les avoir .... Faites .... l'eau avant d'y plonger le poisson. Les tartes .... mieux à four moyen. Je vous conseille de .... les tomates pour les rendre plus digestes. Les viandes en ragoût sont bien meilleures lorsqu'elles .... longtemps. Les pommes de terre .... sont aussi grasses que les frites. Pour cuire les champignons, faites-les .... à la poêle.

8 *Dans une cuisine, on trouve beaucoup d'ustensiles et d'appareils servant à la préparation des plats. Pouvez-vous distinguer l'électroménager du reste ?*

a. un batteur - *b.* un autocuiseur - *c.* un congélateur - *d.* une casserole - *e.* une poêle - *f.* un réfrigérateur - *g.* une table de cuisson - *h.* un hachoir - *i.* un four - *j.* une passoire - *k.* une cuisinière - *l.* un lave-vaisselle - *m.* un décapsuleur - *n.* une rôtissoire - *o.* un robot.

....

Quels sont ceux qui servent à la cuisson ?

....

Complétez les phrases suivantes en conjuguant les verbes :

s'alimenter - se nourrir - croquer - dévorer - déguster - goûter - avaler - grignoter - picorer - gober

Pour la première fois de ma vie j'ai .... du caviar.

A la ferme, nous avons .... des œufs frais.

Il a .... sa part de gâteau sans mâcher tellement il est gourmand.

Elle n'avait vraiment pas faim : elle s'est contentée de .... quelques petits fours. .... des pommes, c'est excellent pour la santé.

L'éléphant .... essentiellement de feuillages.

Le médecin lui a dit de .... de façon plus légère et d'avoir une alimentation plus équilibrée.

Il avait tellement faim qu'il a .... tout le plat de pâtes.

Nous avons .... un succulent foie gras truffé.

Cette vieille dame ne fait plus de vrais repas, elle .... quelques biscuits et ça lui suffit.

10 *Raté ou réussi ? A vous de distinguer :*
a. infecte - *b.* immangeable - *c.* succulent - *d.* loupé - *e.* exquis - *f.* sublime - *g.* accroché - *h.* manqué - *i.* délicieux - *j.* fameux - *k.* carbonisé

11 *A chaque métier, sa spécialité. Retrouvez-les :*

a. Le chef
b. Le sommelier
c. Le gargotier
d. Le serveur
e. Le cuisinier
f. Le maître d'hôtel

1. tient un petit restaurant.
2. sert plats et consommations.
3. se charge de la préparation des repas.
4. sert les vins dans un grand restaurant.
5. supervise la préparation des plats.
6. veille au bon déroulement du service.

12 *Qui mange où ? Vous trouverez plusieurs solutions :*

a. l'écolier
b. le prisonnier
c. l'homme d'affaires
d. le voyageur (en train)
e. le touriste
f. l'employé
g. le skieur
h. la famille en pique-nique

1. au restaurant d'entreprise
2. au buffet de la gare
3. au restaurant
4. à la cantine
5. sur l'herbe
6. au wagon-restaurant
7. sur les pistes
8. au réfectoire

13 *Pour chaque terme, trouvez un synonyme :*

a. un gastronome
    1. un goinfre
    2. un gourmet
b. un chef
    1. un cordon-bleu
    2. un marmiton
c. un banquet
    1. un goûter
    2. un festin
d. une cocotte
    1. un sucrier
    2. une marmite

Trouvez le contraire de :

a. mettre la table
    1. se lever de table
    2. desservir
b. jeûner
    1. manger
    2. être à la diète
c. l'ordinaire
    1. un pique-nique
    2. un festin

14 *Que signifient les expressions suivantes ?*

a. Mettre les petits plats dans les grands.
1. Se mettre en frais pour recevoir quelqu'un.
2. Ranger la vaisselle.

b. Mettre les pieds dans le plat.
1. Marcher difficilement.
2. Intervenir maladroitement.

c. Être trempé comme une soupe.
1. Mettre du pain dans la soupe.
2. Être très mouillé.

d. Ne pas être dans son assiette.
1. Ne pas se sentir en forme.
2. Sortir de table.

e. Tomber comme un cheveu sur la soupe.
1. Arriver mal, à l'improviste.
2. Perdre ses cheveux.

f. Il ne faut pas mélanger les torchons et les serviettes.
1. Il faut bien faire la distinction.
2. Il faut repasser le linge de maison.

g. C'est un déjeuner de soleil.
1. C'est de la mauvaise qualité.
2. Partons en pique-nique.

h. Avoir du pain sur la planche.
1. Avoir des ressources.
2. Avoir beaucoup de travail.

Pour manger, il ne se servait que de son Opinel[1]. Il coupait le pain en petits cubes, déposés près de son assiette pour y piquer des bouts de fromage, de charcuterie, et saucer[2]. Me voir laisser de la nourriture dans l'assiette lui faisait deuil[3]. On aurait pu ranger la sienne sans la laver. Le repas fini, il essuyait son couteau contre son bleu[4]. S'il avait mangé du hareng[5], il l'enfouissait dans la terre pour lui enlever l'odeur. Jusqu'à la fin des années cinquante, il a mangé de la soupe le matin, après il s'est mis au café au lait, avec réticence[6], comme s'il sacrifiait à une délicatesse féminine. Il le buvait cuillère par cuillère, en aspirant, comme de la soupe. A cinq heures, il se faisait sa collation, des œufs, des radis, des pommes cuites et se contentait le soir d'un potage. La mayonnaise, les sauces compliquées, les gâteaux, le dégoûtaient.

Annie Ernaux, *La place*, Éd. Gallimard, 1983.

1. Opinel : marque de couteaux populaire.
2. Saucer : absorber la sauce avec des morceaux de pain.
3. Faire deuil : rendre triste.
4. Son bleu (de travail) : vêtement de travail.
5. Hareng : poisson.
6. Avec réticence : en résistant.

C'est la fête !

Chic, la fin de l'année approche ! C'est vrai, il fait froid et humide mais on se réchauffe le cœur. J'adore tous les préparatifs de Noël et je ne suis pas la seule. Nicolas, très secret, cache un peu partout dans la maison ses cadeaux. Pauline a fait écrire sa lettre au père Noël et elle y apporte des modifications presque tous les jours. Antoine réfléchit pour savoir où il a rangé les décorations et les boules de l'an dernier. Quant à Joseph, il rechigne à l'idée d'installer un sapin au milieu du salon – sûrement à cause des aiguilles – mais reconnaissez-le, un Noël sans sapin, ce serait comme un anniversaire sans bougies ! De mon côté, il faut que je trouve une toilette habillée pour notre réveillon en famille.

un réveillon   un mariage   une cérémonie   un feu d'artifice   un cadeau   une communion

une célébration   un banquet   un faire-part   les amis   un bal

un anniversaire   les convives   la toilette   les connaissances

un enterrement   les parents   un hôte   un baptême   un pétard   un buffet   la noce   un présent   un invité   un défilé

---

1 *Dans cette liste, retrouvez 4 éléments présents lors de la fête du 14 juillet :*

....

....

2 *Chacune de ces fêtes peut être symbolisée par un élément. Lequel ?*

a. Noël
b. La Saint-Valentin
c. Le 1er mai

d. Le 1er janvier
e. Le 1er novembre
f. Le 14 juillet
g. Pâques
h. Carnaval

1. un masque
2. une cloche en chocolat
3. un sapin décoré
4. un lampion
5. un chrysanthème
6. une branche de gui
7. un cœur
8. un bouquet de muguet

3 *Classez ces différentes fêtes célébrées en France selon leur caractère familial, religieux et/ou national :*

a. le 11 novembre - *b.* le 1er janvier - *c.* Pâques - *d.* le 14 juillet - *e.* un baptême - *f.* un anniversaire - *g.* Noël - *h.* le 1er mai - *i.* les fiançailles - *j.* la communion solennelle

Familiales :

....

Religieuses :

....

Nationales :

....

4 *Complétez les phrases suivantes à l'aide des mots :*

réveillon - anniversaire - fiançailles - baptême - noces d'or

Thomas vient d'avoir deux ans et nous avons fêté son .... dimanche dernier en famille. Mes voisins viennent d'avoir une petite Pauline et ils hésitent sur la date du .... Ses grands-parents vont célébrer leurs .... ; ça fait cinquante ans qu'ils sont mariés. Pour la Saint-Sylvestre, nous passerons le .... avec nos amis dans un cabaret; ce sera sûrement très bien. Actuellement, les .... ne se célèbrent plus : les jeunes gens se marient directement.

5 *Le carnaval. Quels éléments choisiriez-vous pour votre déguisement ?*

un loup - un tablier - un serpentin - une perruque - du fard - une toque - une robe - un bonnet - des sabots - un faux-nez - un masque

6 *Le village en fête. Associez à chaque fête un organisateur et une manifestation.*

A. la foire
B. le bal
C. la kermesse
D. la procession

1 . l'école
2 . les commerçants
3 . l'église
4 . la municipalité

a. un orchestre
b. des jeux
c. des cantiques
d. des stands

7 *Ça va être la fête ! Comment avertirez-vous vos amis ? Cochez votre réponse.*

a. Pour un mariage
b. Pour un anniversaire
c. Pour une naissance
d. Pour un dîner
e. Pour un pique-nique amical

1. envoyer un faire-part.
2. envoyer un carton d'invitation.
3. téléphoner.

8 *Complétez les phrases suivantes en conjuguant les verbes :*

accepter - refuser - recevoir - envoyer - retourner - inviter

Les Lariven ont un merveilleux sens de la fête : ils .... leurs amis une fois par an et pour les avertir, ils leur .... un carton d'invitation. J'ai .... le mien la semaine dernière et malheureusement, je dois .... leur invitation car j'ai un empêchement. J'aurais tellement aimé .... et me joindre à eux. Il faut que je leur .... rapidement le carton avec ma réponse.

9 *Retrouvez la fin de chaque phrase.*

a. J'ai appris avec joie
b. Je suis désolé(e) pour
c. C'est avec grande tristesse
d. Je vous présente tous mes vœux
e. C'est avec grand plaisir
f. Je me réjouis
g. Je regrette
h. Je vous souhaite

1. de bonheur.
2. que j'assisterai à votre mariage.
3. à l'idée de fêter tes trente ans.

4. que tu avais réussi ton bac.

5. le divorce de ton frère.

6. une bonne année.

7. que j'ai appris le décès de ta grand-mère.

8. de ne pouvoir me joindre à vous.

---

10 *Quelques erreurs se sont glissées lors de l'impression de ces faire-part. A vous de les corriger.*

a. Nous avons la peine de vous annoncer la naissance de Paul qui se porte à merveille.

....

b. M. et Mme Dumont ont la joie de vous informer du décès de Mme Martin âgée de quatre-vingt-deux ans.

....

c. Antoine fête mercredi ses six ans. Il serait très content que tu refuses de venir souffler ses bougies avec lui.

....

d. Pierre Dumont et Émilie Simard se font un malheur de vous attendre pour pendre la crémaillère avec eux le 15 juin à 21 heures.

....

---

11 *A chaque événement correspond une explication. Retrouvez-les.*

a. Une pendaison de crémaillère.
b. Un pot.
c. Un lunch.
d. Un goûter.
e. Une boum.

1. Une fête organisée l'après-midi pour les enfants.

2. Une fête à l'occasion d'un emménagement.

3. Un repas au cours duquel on peut danser.

4. Une fête dansante entre adolescents.

5. Une réunion entre collègues pour fêter quelque chose.

---

12 *A l'aide des éléments suivants, reconstituez des expressions usuelles :*

a. Il souhaite
   1. bonne fête à une amie.
   2. son anniversaire à une amie.

b. Elle présente
   1. un cadeau aux jeunes mariés.
   2. ses vœux de bonheur aux jeunes mariés.

c. On offre
   1. des félicitations au Nouvel An.
   2. des étrennes au Nouvel An.

d. Il célèbre
   1. un mariage samedi prochain.
   2. un banquet samedi prochain.

e. Nous commémorons
   1. une victoire passée.
   2. une réussite certaine.

f. Elle fête
   1. un enterrement.
   2. un anniversaire.

---

1. Une vastitude : une grande étendue.

2. Monochrome : d'une seule couleur (≠ multicolore).

3. Cheveu d'ange : décoration de Noël qui rappelle des cheveux argentés.

4. Une stalactite : ici, décoration de Noël en forme de morceau de glace pointu.

Le repas du réveillon fut servi à sept heures du soir. C'était déjà le cœur de la nuit. Par-delà les fenêtres, décorées de petits lutins en papier rouge, s'étendait la même vastitude[1] monochrome[2]. La salle de l'auberge, par contraste, semblait étrangement colorée, baignée par une lumière qui avait volé sa blondeur aux tables et à l'armoire de pin qui la meublaient. Quelques boules de verre multicolores décoraient le sapin de Noël. Aucune étoile argentée, aucun cheveu d'ange[3], aucune stalactite[4] de verre filé, pas la moindre larme de mercure ne venait suggérer l'idée de la neige ou du givre. Le paysage, deviné en arrière-plan à travers les branches, suffisait.

Jean-Louis Hue, *Dernières nouvelles du père Noël*, Éd. Grasset, 1987.

La pluie et le beau temps

Matin frileux :

Emmitouflé dans son manteau, écharpe enroulée autour du cou, Nicolas part pour l'école. Pour lui, ce matin c'est la fête : il a gelé à pierre fendre cette nuit ; comme c'est amusant de faire des glissades dans les rigoles pleines de glace et sur les trottoirs recouverts de verglas. Même s'il fait un froid de canard et même si la bourrasque lui cingle le visage, Nicolas est ravi.

Soir d'été orageux :

Une bien chaude journée s'achève. Sur la plage aujourd'hui c'était la canicule : soleil de plomb, ciel azuré sans l'ombre d'un nuage, pas la moindre brise. C'était très difficile de se protéger et, malgré le parasol, ses lunettes de soleil et sa visière préférée, Antoine a attrapé de bons coups de soleil. Maintenant, c'est beaucoup plus supportable, mais ce vent léger pourrait bien annoncer l'orage. Le tonnerre ne va sûrement pas tarder à gronder et Antoine guette les éclairs avec impatience. Il adore ça !

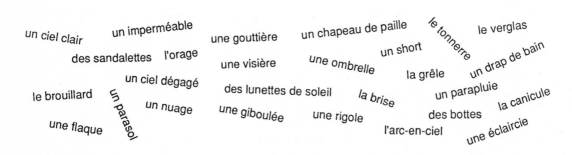

un ciel clair   un imperméable   une gouttière   un chapeau de paille   le tonnerre   le verglas

des sandalettes   l'orage   une visière   un short   une ombrelle   un drap de bain

un ciel dégagé   des lunettes de soleil   la grêle   la brise

le brouillard   un parasol   un nuage   une giboulée   une rigole   un parapluie   la canicule

une flaque   l'arc-en-ciel   des bottes   une éclaircie

---

1 | *Parmi ces mots, distinguez ceux de la pluie et ceux du beau temps :*

....

....

....

2 *Écrivez 5 noms relatifs à la pluie visibles dans cette image :*

....

....

....

3 *Recherchez le nom de 3 accessoires utiles en cas de pluie et de 5 autres en cas de gros soleil :*

Soleil :

....

....

....

Pluie :

....

....

....

4 *Comment s'appellent les accessoires utilisés contre la pluie, le soleil, le tonnerre et le vent ? Chacun commence par para.*

....

....

5 *Classez du plus chaud au plus froid :*

a. glacial - *b.* torride - *c.* tiède - *d.* frais - *e.* froid - *f.* chaud - *g.* clément - *h.* caniculaire - *i.* brûlant - *j.* doux

....

et du plus sec au plus mouillé :

a. humide - *b.* trempé - *c.* sec - *d.* mouillé - *e.* desséché - *f.* ruisselant - *g.* dégoulinant - *h.* moite - *i.* dégouttant

....

6 *Distinguez dans cette liste les vents forts et les vents légers :*

la tempête - la bourrasque - le zéphyr - une rafale - la bise - un ouragan - un cyclone - la brise

....

....

....

7 *Temps de neige ! Replacez le mot juste dans les phrases suivantes :*

neigeux - enneigement - déneigement - déneiger - enneigé

Hier, le temps était ...., et ce matin, le trottoir est tout .... ; il va falloir le .... à la pelle. Le bulletin d'........................ n'est pas très optimiste : le chasse-neige va procéder souvent au .... des rues cet hiver.

8 *Dans cette liste de mots, quels sont les 3 intrus ne venant pas du mot vent ?*

ventilateur - vente - inventer - venter - éventer - inventaire - éventail

....

....

9 *Cherchez un nom, un verbe et un adjectif de la même famille que pluie et soleil :*

Pluie :
nom ....
verbe ....
adjectif ....

Soleil :
nom ....
verbe ....
adjectif ....

10 *La parole est au vent, que fait-il ?*

a. il gémit - *b.* il parle - *c.* il souffle - *d.* il siffle - *e.* il hurle - *f.* il piaille - *g.* il grommelle - *h.* il murmure - *i.* il gazouille - *j.* il rugit - *k.* il meugle - *l.* il crie - *m.* il chante - *n.* il miaule - *o.* il pleure

....

11 *Et la pluie, que peut-elle faire ?*

a. crépiter - *b.* chanter - *c.* pleurer - *d.* crisser - *e.* claquer - *f.* cingler - *g.* sauter - *h.* tomber - *i.* dégouliner - *j.* goutter - *k.* gifler - *l.* ruisseler

....
....
....
....

12 *Replacez les mots* éclaircie, brouillard, verglas, averse, arc-en-ciel *dans les phrases suivantes :*

On ne distingue plus rien, il y a beaucoup de ....; la route est glissante à cause du ....

On peut espérer une .... pour la fin d'après-midi.

Il se met à pleuvoir; avec un peu de chance, ça ne durera pas, une simple .... Le soleil réapparaît et voilà un magnifique ....

13 *Parmi ces expressions, 3 n'ont rien à voir avec la météo. Lesquelles ?*

un nuage de pluie - il y a de l'orage dans l'air - une pluie de pierre - un nuage de grêle - une purée de pois - l'orage menace - il est dans le vent - un nuage de poussière

....
....
....

14 *Ces expressions ont été mélangées; essayez de les reconstituer :*

a. Il fait un froid
b. Il gèle
c. Il y a un soleil
d. Il est trempé
e. Il pleut
f. Il fait un temps

1. de plomb.
2. à ne pas mettre un chien dehors.
3. à seaux.
4. de canard.
5. comme une soupe.
6. à pierre fendre.

15 *Que signifie ?*

a. Il fait la pluie et le beau temps.
   1. Le temps est variable.
   2. Il dirige en maître.
b. C'est un déjeuner de soleil.
   1. On fait un pique-nique.
   2. C'est quelque chose qui ne dure pas.
c. Il y a de l'orage dans l'air.
   1. Le ciel est dégagé.
   2. Une dispute va éclater.
d. Il tombe des cordes.
   1. Des ficelles sont répandues par terre.
   2. Il pleut à torrent.
e. C'est une vraie fournaise.
   1. Il fait une chaleur terrible.
   2. Elle fait la cuisine.

Il doit être entre six et sept heures du soir.

Une autre averse arrive et la place se vide. Des palmiers nains en massif, au milieu de cette place, se tordent sous le vent. Des fleurs, entre eux, sont écrasées. Judith arrive de la galerie et se blottit contre sa mère. Mais sa peur s'en est allée. Les éclairs[1] se succèdent à un rythme si rapide qu'ils s'enchaînent les uns aux autres et que le vacarme[2] du ciel est continuel. [...] Dans la galerie, le silence se fait. Judith quitte sa mère et va voir la pluie de plus près. Et la place qui danse dans les stries[3] de la pluie.

— Il y en a pour toute la nuit, dit le client.

L'averse se termine, brutalement. Le client se détache du bar et montre le ciel bleu sombre, cerné[4] par régions entières d'un gris plombé[5], et qui touche aux toits, tellement il est bas.

Marguerite Duras, *Dix heures et demie du soir en été*, Éd. Gallimard, 1960.

1. L'éclair : au cours d'un orage, lumière intense et brève dans le ciel.
2. Le vacarme : le grand bruit.
3. Les stries : les lignes parallèles que forme la pluie en tombant.
4. Cerné : entouré.
5. Un gris plombé : un gris de la couleur du plomb.

De la tête aux pieds

« Mon fils n'en finit plus de grandir : ses jambes s'allongent, ses pieds ont pris une pointure en deux mois, il a de très longs doigts, comme les pianistes. Son buste, lui, n'a pas bougé. Cette croissance m'inquiète un peu car son poids n'augmente pas ce qui lui donne une silhouette filiforme. J'espère qu'à la puberté il va s'étoffer un peu et, pour l'aider à se développer, je vais lui faire faire du sport. Je crois que la natation est un excellent exercice pour la musculation. Qu'en pensez-vous ?

– Excellente idée, mais donnez-lui un fortifiant : quelques vitamines lui rendront la forme et lui feront du bien car je lui trouve les traits un peu tirés ! Et puis n'hésitez pas à l'envoyer au grand air pendant les vacances. Ça lui fera le plus grand bien ! »

un orteil   le nez   la jambe   une main   le cou   les fesses   l'avant-bras
le talon   le mollet   le front   un doigt   la taille   le poignet   le dos   une épaule
la poitrine   l'œil   le ventre   l'oreille   le coude   les seins   un genou   la bouche
un pied   un ongle   la cuisse   les hanches   un cil   la cheville

1 Dans cette liste de mots, retrouvez 6 éléments de la tête, 8 éléments des membres inférieurs, 4 des membres supérieurs et 8 du tronc ; situez-les sur le dessin.

....
....
....
....
....
....
....
....
....
....
....
....

2 *Comment se nomme l'articulation entre :*

a. le pied et la jambe : ....

b. le bras et le torse : ....

c. l'avant-bras et le bras : ....

d. la main et l'avant-bras : ....

e. la jambe et la cuisse : ....

f . le torse et la tête : ....

1. le coude - 2. la cheville - 3. l'épaule - 4. le cou - 5. le poignet - 6. le genou

3 *Retrouvez l'organe qui correspond à chaque sens.*

a. l'ouïe   1. le nez

b. l'odorat   2. la main

c. la vue   3. la bouche

d. le toucher   4. l'oreille

e. le goût   5. l'œil

Quel est le verbe correspondant à chaque activité sensorielle ?

Exemple : la vue → voir

....

....

....

....

4 *Complétez les phrases suivantes à l'aide des verbes :*

regarder - voir - écouter - entendre

Elle .... une émission à la télévision.

Je vais .... un film au cinéma ce soir.

.... ce joli vase dans la vitrine.

Elle .... du bruit chez le voisin.

Il .... des informations à la radio.

Moins de bruit, on n'..................... rien !

Ils aiment .... le chant des oiseaux.

5 *Distinguez les gestes des mains de ceux effectués avec les pieds :*

a. enjamber - *b.* agripper - *c.* patiner - *d.* sauter - *e.* caresser - *f.* attraper - *g.* saisir - *h.* shooter - *i.* pédaler - *j.* applaudir - *k.* monter - *l.* dévisser - *m.* ouvrir - *n.* glisser

Avec les mains :

....

Avec les pieds :

....

6 *Quelles sont ces différentes postures ?*

a.   *b.*   *c.*

....

d.   *e.*   *f.*

....

1. accroupi - 2. voûté - 3. debout - 4. allongé - 5. agenouillé - 6. assis

7 *Quel est l'adjectif correspondant à chacun de ces noms ?*

a. Il porte la barbe, il est ....

b. Il a une moustache ; c'est un ....

c. Ses cheveux sont très longs et épais ; il est ....

d. Il a perdu tous ses cheveux, il est ....

e. Il n'a pas de barbe ; elle ne pousse pas ; il est ....

1. chauve - 2. barbu - 3. imberbe - 4. chevelu - 5. moustachu

8 *Formez des phrases en vous aidant des différents éléments suivants :*

A. Le coiffeur

B. Le barbier

C. Jean

D. L'esthéticienne
E. Sophie
F. La manucure

1. se rase
2. lime
3. coupe
4. se brosse
5. épile
6. se maquille
7. se lave
8. se fait
9. taille

a. les jambes de Sophie
b. les ongles
c. la barbe de M. Dupont
d. les dents
e. les cheveux
f. les yeux
g. la moustache
h. les mains

9 *Qu'est-ce qu'il peut porter? Cochez les bonnes réponses :*

des lunettes - la barbe - les cheveux - un costume - les cheveux courts - une perruque

10 *Classez du plus clair au plus foncé (certains termes peuvent être synonymes) :*

Pour les cheveux : blond - noir - brun - roux - auburn - châtain

....
....
....

Pour la peau : brun - blême - bronzé - noir - pâle - mat

....
....
....

11 *Retrouvez les synonymes (indiquez les réponses à l'aide d'une flèche).*

a. L'épiderme   1. les poils
b. l'abdomen   2. la tête
c. le crâne   3. la peau
d. le système pileux   4. le ventre

12 *Trouvez le sens de chacune de ces expressions :*

a. Il se casse la tête.
b. Il lui casse les pieds.
c. Il casse du sucre sur le dos de Nicolas.
d. Il s'est cassé le nez.
e. Il lui casse les oreilles.

1. Il fait trop de bruit.
2. Il l'ennuie.
3. Il réfléchit.
4. Il dit du mal de lui.
5. Il a trouvé porte close.

13 *Complétez les expressions suivantes à l'aide des mots :*

oreilles - nez - œil - langue

Ne me racontez pas d'histoires, je sais que vous mentez; ça se voit comme le .... au milieu de la figure !

Ma concierge passe son temps à bavarder avec les locataires; elle a vraiment la .... bien pendue !

Ne parlez pas si fort, on pourrait nous entendre; les murs ont des ....

Je ne vous fais pas confiance, je vous surveille; n'oubliez pas, je vous ai à l'........................

14 *Replacez dans les phrases suivantes les mots :*

jambes - ventre - épaules - bras - main

Ma grand-mère était très généreuse, elle avait le cœur sur la .... Paul a la tête sur les ....; c'est un garçon sérieux et équilibré. Tu crois toujours faire plus que tu peux, tu auras toujours les yeux plus grands que le ....! Cet homme est très influent, il a le .... long. Elle a eu tellement peur qu'elle a pris ses .... à son cou et qu'elle est partie, sans demander son reste.

15 *Que signifient les expressions suivantes ?*

a. Il ne s'est pas fait tirer l'oreille.
   1. Il ne s'est pas lavé les oreilles.
   2. Il a accepté tout de suite.

b. Il l'a fait en un clin d'œil.
   1. Il l'a fait immédiatement.
   2. Il drague.

c. Il n'a pas froid aux yeux.
   1. Il est bien couvert.
   2. Il n'a peur de rien.

d. C'est le bras droit du maire.
   1. C'est son conseiller.
   2. Le maire n'a qu'un bras.

e. La moutarde lui monte au nez.
   1. Il ne supporte pas les épices.
   2. Il se met en colère.

f. Il ne sait rien faire de ses dix doigts.
   1. C'est un bandit.
   2. C'est un incapable.

— Si vous croyez m'être désagréable en restant à la fenêtre pour regarder la vue le dos tourné, vous tombez mal[1], car je suis très fier de mon panorama, j'aime donc qu'on l'apprécie, et je ne me lasse pas de contempler ce que deviennent les corps de femmes accoudées[2] à un balcon. C'est merveilleux, ces épaules relevées de force qui engoncent[3] le cou et qui donnent à tout le haut de la silhouette quelque chose de frileux — surtout si les avant-bras sont croisés et si les ongles caressent les coudes. Formidables, ces côtes rehaussées qui allongent le buste et font saillir[4] l'omoplate, cette taille qui s'affine, cette jupe qui flotte sur les hanches creusées !... La moitié supérieure du corps est si fortement appuyée à la rambarde[5] que les jambes paraissent flotter, battre l'air, comme on l'interdit aux enfants. Un des pieds peut avoir abandonné la chaussure sur le sol et remonter machinalement en arrière à la recherche du plat du mur, talon nu tâtonnant[6] dans le vide...

Bertrand Poirot-Delpech, *La folle de Lituanie*, Éd. Gallimard, NRF, 1970.

1. Vous tombez mal : vous vous trompez.
2. Accoudées (à) : les coudes posés (sur).
3. Engoncer : enfoncer, faire disparaître.
4. Saillir : sortir, s'avancer.
5. La rambarde : la bordure, l'appui d'un balcon.
6. Tâtonner : chercher en hésitant.

Nos amies les bêtes

«*Adieu veaux, vaches, cochons, couvées, tous mes espoirs sont envolés, moi qui croyais gagner au loto et m'installer enfin dans les Cévennes pour faire de l'élevage! Allez, je crois que je vais devenir chèvre ici à Paris.*

– Tu es têtue comme une mule. Ce projet ne tenait pas debout, je te l'ai dit mille fois. Ménage la chèvre et le chou et tout ira mieux au bureau.

– Je ne supporte plus mon directeur : vaniteux comme un paon, laid comme un poux, bête comme une oie, je lui trouve tous les défauts de là terre.

– Tu oublies malin comme un singe! Il te tient et il ne te lâchera pas comme ça.

– Oh! mais il ne faut pas prendre les enfants du bon Dieu pour des canards sauvages. Ce que je veux, je l'aurai!

– Fais tout de même attention. Ne tue pas la poule pour avoir l'œuf. Nous en resterons là mais tu sais, ce n'est pas aux vieux singes qu'on apprend à faire des grimaces. Alors, un conseil : sois douce comme un agneau et cet ours mal léché deviendra peut-être un directeur très chouette. »

le poulailler • le hibou • le héron • le chien • le tigre • le perroquet • le chameau • la chèvre • le zèbre • l'abeille • la puce • le lion • le moustique • le goujon • le serpent • la baleine • la vache • le manchot • la biche • la grenouille • la chatte • la mangeoire • l'écurie • l'éléphant • le nid • l'étable

---

1 *Dans cette liste, trouvez :*

a. un reptile

b. un poisson

c. un insecte

d. un oiseau

e. un fauve

f. un oiseau nocturne

g. un animal domestique

h. un animal sauvage

2 « *Une chatte n'y retrouverait pas ses petits.* » *Rendez les petits à leur mère.*

Les mères :

a. la lionne

b. la truie

c. la lapine

d. l'ourse

e. la jument

f. la girafe

g. la vache

h. la poule

Les petits :

1. le porcelet

2. le lapereau

3. le girafeau

4. le lionceau

5. le poussin

6. le poulain

7. l'ourson

8. la génisse

3 *Comment s'exprime-t-il ? (Indiquez la réponse à l'aide d'une flèche.)*

a. Le chat   1. grogne.

b. Le chien   2. caquète.

c. Le canard   3. miaule.

d. Le cochon   4. hennit.

e. La poule   5. aboie.

f. La vache   6. bêle.

g. Le cheval   7. meugle.

h. Le mouton   8. cancane.

4 *Complétez les expressions suivantes :*

a. Être doux comme   1. un pinson.

b. Être têtu comme   2. une pie.

c. Être vaniteux   3. un âne.

   comme   4. un singe.

d. Être bavard   5. un paon.

   comme   6. un cochon.

e. Être sale comme   7. un agneau.

f. Être bête comme   8. une oie.

g. Être malin

   comme

h. Être gai comme

5 *Où habitent-ils ? Complétez les phrases suivantes avec les mots :*

clapier - niche - bergerie - porcherie - étable - nid - poulailler

Les porcs et les truies ont regagné la ....; elle est située entre l'........................ où les vaches passent la nuit et le .... où sont enfermés les lapins. Dans le ...., les poules dorment déjà depuis longtemps. Les moutons, eux, sont un peu à l'écart au chaud dans la .... Quant au chien il dort dans sa .... où un oiseau, peut-être une hirondelle, a construit son ....

6 *Qu'est-ce que l'homme peut entreprendre face à un lion, un perroquet, un chat ? A vous de choisir :*

a. dresser - b. éduquer - c. dompter - d. apprivoiser - e. couver - f. protéger - g. capturer - h. domestiquer - i. chasser - j. élever - k. instruire - l. tuer.

....

....

....

7 *Reformez les couples dans cette ferme spécialisée dans la reproduction :*

a. l'étalon   1. la brebis

b. le bouc   2. la jument

c. le taureau   3. la poule

d. le bélier   4. l'oie

e. le jars   5. la cane

f. le coq   6. la chèvre

g. le canard   7. la vache

8 *Qu'est-ce que c'est que cet animal ? Un homme, bien sûr !*
Complétez les phrases suivantes en conjuguant les verbes :

nicher - singer - couver - cancaner - chasser - bêler - lézarder - fouiner

Le petit dernier passe son temps à .... son frère : il fait exactement tout comme lui. Sa mère est une vraie mère-poule, je trouve qu'elle .... trop ses enfants. Ce grand paresseux ne fait rien de la journée : il reste sur la plage à .... au soleil.

Cette nouvelle concierge m'agace, elle passe son temps avec la boulangère à .... sur les gens et elle .... dans la vie privée des loca-taires.

M. Dubosc a .... son apprenti ; il lui avait volé des outils.

Certains trouvent que Julien Clerc .... mais moi, j'aime bien ses chansons.

Tu crois qu'il .... toujours dans sa chambre au 6ᵉ étage ?

9 *Retrouvez le sens de chacune de ces expressions :*

a. Avoir une mémoire d'éléphant.
b. Avoir une langue de vipère.
c. Avoir une vue de lynx.
d. Avoir une faim de loup.
e. Avoir un estomac d'autruche.
f. Avoir une tête de mule.
g. Avoir un caractère de cochon.

1. Avoir mauvais caractère.
2. Être affamé.
3. Tout digérer.
4. Être rancunier.
5. Être médisant.
6. Avoir une vue perçante.
7. Être borné.

10 *Terminez les proverbes suivants :*

a. Il ne faut pas vendre la peau de l'ours
b. Faire l'âne
c. Ménager la chèvre
d. On n'apprend pas à un vieux singe
e. Tuer la poule

1. et le chou.
2. à faire des grimaces.
3. pour avoir l'œuf.
4. avant de l'avoir tué.
5. pour avoir du son.

11 *Que signifie ?*

a. Monter sur ses grands chevaux.
   1. S'emporter.
   2. Faire de l'équilibre.
b. Faire devenir chèvre.
   1. Embêter, rendre fou.
   2. Se métamorphoser en animal.
c. Pratiquer la politique de l'autruche.
   1. S'inscrire à un parti politique.
   2. Refuser de voir le danger.
d. Se coucher, se lever comme les poules.
   1. Se coucher, se lever très tôt.
   2. Élever des poules.
e. C'est chouette.
   1. C'est la nuit.
   2. C'est bien, c'est super.
f. C'est un ours mal léché.
   1. Il est gros et sale.
   2. Cette personne est insociable et har-gneuse.

Soudain, Sernine sursauta. Quelque chose lui frôlait[1] la jambe. Il retint un cri, se hâta[2] de frotter une allumette, découvrit un chat noir qui levait vers lui des yeux pâles où se reflétait la lueur de la petite flamme.

«Chut ! fit Sernine. Est-ce que je ronronne, moi ? »

Le matou faisait le gros dos, et, avec une mimique expressive, montrait qu'il désirait quelque chose. Parbleu[3] ! Il voulait attirer Sernine dans la cuisine. Il avait faim. Il était probablement seul depuis long-temps.

Boileau-Narcejac, *La Poudrière*, Éditions du Masque, 1987.

1. Frôler : caresser très dou-cement.
2. Se hâter : se dépêcher.
3. Parbleu ! : *ici*, évidem-ment !

CORRIGÉS

Chacun chez soi (p. 7)

1. une cuisine - les toilettes - une chambre - une salle de bains - un salon - une salle de séjour - une salle à manger - un cabinet de toilette
2. grenier - cave
3. construire - constructeur
4. une bâtisse - un immeuble - une demeure - un gratte-ciel - une tour - une H.L.M.
5. 1b - 2d - 3f - 4c - 5a - 6e
6. pièces - salon - balcon - cuisine - baignoire - moquette - parquet - cave
7. locataire - loyer - location
8. déménage - aménage - emménage
9. la cabane - la chaumière - le pavillon
10. la cheminée - l'évier - le vide-ordures - la baignoire - la cuisine - les placards
11. déménager
12. la chambre - l'office
13. a2 - a3 - a6 - b2 - b4 - c1 - c3 - c4 - c5 - d1 - d2 - d3 - d4 - d5 - e2 - e3 - f2 - f5 - g2 - g4 - h2 - i1 - i3
14. a2 - b1 - c2 - d1 - e2 - f2 - g2

Photo de famille (p. 10)

1. un filleul - le parrain - les amis - des connaissances - le tuteur - la marraine - les relations
2. mon beau-père - votre gendre ou votre beau-fils - votre bru ou votre belle-fille - conjoint-/époux
3. un morveux
4. frère - cousines - oncle - tante - grands-parents - grand-tante - petit-fils - arrière-petit-fils - beau-frère - belle-sœur - neveu - nièces - bru - gendre
5. *ascendance :* un ancêtre - les aïeuls - les anciens
   descendance : un rejeton - un héritier - la progéniture - la postérité
6. le bisaïeul - le grand-père - le père - le fils - le petit-fils - l'arrière-petit-fils
7. la benjamine
8. a. familier - b. familial - c. familiariser - d. familiarité
9. fraterniser - fraternel - fraternité - fraternellement - maternité - maternel - paternité - paternel
10. tuteur - pupille - parrain - filleul - (tutrice - pupille - marraine - filleule)
11. mon oncle - ma grand-tante - mon grand-père
12. a5 - b4 - c6 - d2 - e1 - f3
13. a2 - b1 - c2 - d2

En classe (p. 13)

1. les copains - le tableau noir - un cancre - un instituteur - le carnet scolaire - un camarade - un globe - un élève - un pupitre - un manuel - un cartable - un écolier
   un instituteur - un pion - le doyen - un professeur - le recteur - le censeur - une surveillante
2. une écolière - une collégienne - une lycéenne - une directrice - une pionne - un professeur - une institutrice - un censeur - une doyenne
3. scolariser - scolarité - scolairement
4. e - b - c - d - a
5. a. salle d'études - b. cafétéria - c. gymnase - d. vestiaire - e. salle de cours - f. réfectoire - g. cour de récréation - h. dortoir - i. infirmerie
6. scolarité - entretien - concours - candidats - épreuves - dossier
7. a3 - b4 - c6 - d7 - e5 - f2 - g8 - h1
8. a1 - b2 - c2 - d2 - e2 - f2 - g2
9. a7 - b4 - c1 - d3 - e2 - f5 - g6
10. a3 - b1 - c4 - d5 - e2
11. la faculté - un professeur - une préparation - ethnologie - philosophie - mathématiques - sciences naturelles - économie - sciences politiques - géographie - sociologie - la gymnastique - une interrogation - un examen - un exercice
12. a2 - b2 - c2 - d2 - e2 - f2 - g1 - h2

Demande d'emploi (p. 16)

1. les congés - le week-end - la pause - des vacances - les jours fériés
   un atelier - un magasin - l'usine - un chantier - un bureau - une étude - le cabinet - l'école
2. Ae2 - Bf8 - Ca4 - Di3 - Eg6 - Fh5 - Gc1 - Hd9 - Ib7
3. traitement - salaire - solde - cachet - honoraires
4. le cosmonaute - l'infirmière - l'hôtesse de l'air - l'agriculteur
5. chômeur - travail à domicile - travail à mi-temps - intérimaire - plein temps - retraite
6. le chercheur - le mécanicien - le chirurgien - le juge (l'avocat) - l'électricien - l'informaticien
7. plombier - instituteur
8. a1 - b2 - c1 - d1
9. la pause - le week-end - un pont - les congés annuels - la retraite
10. fignoler - peaufiner - soigner
11. a2 - b2 - c2 - d2 - e1
12. a. vrai - b. faux - c. vrai - d. vrai - e. faux

L'argent dans tous ses états (p. 19)

1. le porte-monnaie - le portefeuille - la tirelire - la caisse - le coffre-fort
2. déshérité - misérable - miséreux - dépourvu - indigent - nécessiteux - démuni - pauvre
3. a2 - b4 - c3 - d6 - e5 - f1
4. prêté - remboursé - placé - gagné - débourse - emprunter
5. a. Sophie - b. Catherine - c. Catherine - d. Catherine - e. Catherine - f. Sophie - g. Catherine - h. Sophie
6. a3 - b5 - c6 - d2 - e1 - f4
7. chèque en blanc - en espèces
8. dettes - héritage - subvention - épargne - revenus - rente - allocation - hypothèque - pension
9. a2 - b3 - c5 - d4 - e1
10. b - c - g - h
11. a3 - d4 - b2 - c1
12. a2 - b1 - c2 - d2

Vive les vacances ! (p. 22)

1. l'hôtel - une résidence secondaire - une location - le camping - la pension de famille la campagne - la montagne - l'étranger les visites - les rencontres - l'isolement - le tourisme - la tranquillité - le dépaysement - l'aventure - le sport - le repos - les sorties
2. A la mer : a - b - c - e - g - h. A la montagne : b - d - f - i - j
3. le bronzage - le repos - la baignade - la promenade - la visite - le calme - le divertissement - le sommeil
4. a1 - b2 - c2 - d2 - e1 - f2
5. réservation - circuit - vaccin - départ - assurance - annulation - visa - bagages
6. a3 - b1 - c2 - d5 - e4
7. a2 - b5 - c1 - d3 - e4 - f8 - g7 - h9 - i6 - j5
8. le globe-trotter
9. rendre visite - examiné - découvert - visiter - partis à la découverte de - exploré
10. a5 - b1,2,3,4,5,7 - c2,7 - d6 - e1,3,4 - f3,4 - g4
11. à lits jumeaux - vue sur le (cabinet de toilette)
12. a - b - c - d - e - g - h - i - k - l - m
13. a. à la mer - b. à l'étranger - c. chambre d'hôtel - d. en avion - e. un emplacement de camping - f. un bain de mer - g. la poste restante
14. a2 - b1 - c2 - d1 - e2

A quoi on joue ? (p. 26)

1. les cartes - le loto - les dominos - les échecs - les dames
2. a4 - b1 - c3 - d2 - e5
3. les boules (A) ; les cartes (H.R.) ; les dominos (R) ; les dames (R) ; les billes (A) ; les quilles (A) ; les échecs (R) ; le croquet (A) ; la roulette (H) ; le billard (A) ; le jeu de l'oie (H) ; les dés (H) ; les osselets (A)
4. le bowling - les échecs - le poker - la loterie - le tiercé - le billard

5. a3 - b2 - c5 - d1 - e4 - f6 - g7
6. casino - chance - gain - roulette - cartes - mise - jeu - tricheurs
7. a2 - b5 - c1 - d4 - e3
8. l'as - le deux - le cinq - le neuf - le valet - la dame - le roi - l'as - a. pique - b. carreau - c. cœur - d. trèfle
9. a3 - b1 - c4 - d2
10. réponses possibles : ma-deux-laine / et-co-lierre / temps-boue-Rhin
11. a1 - b4 - c2 - d3
12. a2 - b1 - c2 - d1 - e1 - f2 - g1 - h2
13. a4 - b3 - c7 - d8 - e2 - f6 - g1 - h5

Rendez-vous au stade (p. 29)

1. le terrain - un court - une piste - le manège - la piscine
2. a7 - b6 - c1 - d5 - e2 - f3 - g4
3. le skieur - le cavalier - le boxeur - le basketteur - le nageur - le cycliste - le gymnaste - le patineur - le pilote
4. (C) d, f - (P) b, g - (E) e, g - (S) a, c
5. garer - broder - croquer
6. a1 - b5 - c2 - d6 - e4 - f3
7. a3 - b1 - c4 - d5 - e2
8. du - au - de la - du - au - au - à la
9. *balle* : ping-pong - tennis - base-ball
   ballon : rugby - football
   boule : pétanque - croquet - billard
10. *sports d'équipes* : le rugby - le hockey - le polo - le base-ball - le football - le volley-ball
   sports individuels : le tennis - la lutte - l'escrime - le ski - le patinage - la natation
11. l'aviron - la voile - la natation - le ski nautique - la plongée - le canoë
12. a1 - b2 - c1 - d2 - e2
13. a5 - b3 - c1 - d4 - e2

Défilé de mode (p. 32)

1. a. un mannequin - b. une retoucheuse - c. un grand couturier - d. une modiste - e. un maroquinier - f. une styliste
2. a. les chaussures - b. les accessoires - c. les bijoux - d. le maquillage
3. recherché - raffiné - sophistiqué - distingué - chic - habillé
4. a4 - b1, 2, 3, 6 - c2, 5, 6 - d1, 3 - e1, 2, 3, 4, 6 - f3, 5
5. a2 - b4 - c5 - d3 - e1
6. a2 - b1 - c4 - d5 - e3
7. raccourcissent - élargir - amincit - rétréci - arrondir - allongent
8. *un homme* : un gilet - un spencer - un smoking - un nœud-papillon - des richelieu
   une femme : un bustier - des escarpins - une étole - une robe fourreau - une voilette
9. c - d - e - f - g
10. a4 - b2 - c1 - d3
11. tailleur - mannequin - taille
12. a1 - b2 - c2 - d2 - e1

Tous en scène! (p. 35)

1. *métiers :* un critique - l'éclairagiste - un mime - les acteurs - un comédien - une ouvreuse - un danseur - une diva - un réalisateur - une étoile - le souffleur - un petit rat - la maquilleuse - un metteur en scène - la doublure
genres de spectacles : l'opéra - un drame - les variétés - le théâtre - le cinéma - un concert - le music-hall - le café-théâtre - une tragédie - un ballet - le cirque

2. a. une troupe - b. un orchestre - c. un ballet

3. a4 - b3 - c2 - d1

4. a9 - b6 - c10 - d3 - e11 - f8 - g4 - h1 - i5 - j2 - k7

5. critiques - metteur en scène - acteurs - doublure - souffleur - ouvreuses

6. une réplique - une tirade - une scène - un acte - une pièce

7. salle - balcons - rideau - foyer - décors - coulisses - scène

8. 1 et 10 - 2 et 8 - 3 et 9 - 4 et 12 - 5 et 11 - 6 et 7

9. le roman

10. reprise - relâche - représentation - séance - première - matinées

11. danseuse - chef d'orchestre - clown

12. a1 - b2 - c2 - d3 - e3

13. a2 - b1 - c1 - d2 - e2 - f2 - g2

A la une (p. 39)

1. un chroniqueur - un correspondant - un journaliste - le typographe - le rédacteur

2. e - b - f - a - c - g - d

3. a. un titre - un chapeau - un article - une rubrique
b. une pleine page - une colonne - un paragraphe - un entrefilet

4. a5 - b6 - c1 - d4 - e2 - f3

5. chapeau - manchette - colonnes - critique - rubrique - une - tirage

6. a - c - d - f - h - i - j

7. a3 - b4 - c5 - d2 - e1

8. a6 - b1 - c5 - d2 - e9 - f7 - g4 - h3 - i8

9. a2 - b2 - c1 - d2 - e2

10. a2 - b1 - c1 - d2 - e2

Comment on y va? (p. 42)

1. a. l'avion - une fusée - un hélicoptère
b. un scooter - une automobile - la bicyclette - un car - le métro - un tortillard - un autocar - une moto - la voiture - un train - l'autobus - un camion - une micheline
c. un paquebot - un pétrolier - une péniche - un cargo - un voilier - un bateau-mouche
d. un pétrolier - une péniche - un cargo - un train - un camion - l'avion
e. l'avion - un car - une automobile - le métro - un voilier - un hélicoptère - un autocar - une moto - la voiture - un autobus - un train - une micheline - un bateau-mouche

2. autocar (interurbain) - autobus (urbain)

3. l'omnibus - le tortillard - (la micheline)

4. a. un billet, un abonnement, une carte
b. un billet, un abonnement, une carte
c. un ticket, une carte

5. a. à - b. à - c. en - d. en - e. en - f. en - g. à - h. en - i. en

6. a. une tire - b. un zinc - c. un rafiot - d. une bécane

7.
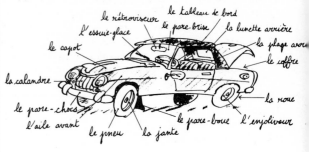

8. a. un voilier - un paquebot
b. un cargo - une péniche

9. plan - direction - correspondance - escaliers roulants - rame - quai - voiture

10. a9 - b3 - c5 - d6 - e7 - f8 - g1 - h4 - i4 - j10 - k12 - l2 - m11 - n5

11. a. un bombardier - b. un zinc - c. un coucou - d. un hydravion - e. un planeur

12. a4 - b3 - c1 - d5 - e2

13. a2 - b2 - c2 - d1 - e1 - f1 - g2

Pleins feux sur la ville! (p. 45)

1. un square - un jardin public

2. l'avenue - la rue - la ruelle - l'impasse l'appartement - l'immeuble - le pâté de maisons - le quartier - l'arrondissement - l'agglomération

3. a3 - b2 - c4 - d6 - e1 - f2, 4, 5

4. l'église - le café - la mairie - le bureau de poste - le monument aux morts

5. porte - remparts - donjon - clocher - abbaye - pont-levis

6. a3 - b4 - c5 - d1 - e2

7. la préfecture - le commissariat - la perception - l'hôtel de ville - la poste

8. une ferme - un hameau - un village - un bourg - une ville - une métropole

9. le centre ville - les faubourgs - la proche banlieue - la grande banlieue

10. le théâtre - le gymnase - la piscine - la patinoire - l'aire de jeux - le cinéma - le conservatoire de musique - la bibliothèque - le centre culturel

11. a2 - b1 - c1 - d1 - e1 - f2 - g2 - h2

12. villes champignons - cité-dortoir - ville thermale - villes satellites - centre ville - station balnéaire - vieille ville

Les temples de la consommation (p. 48)

1. un vendeur - un gérant - un grossiste - un commerçant - un représentant - un détaillant
2. la boulangerie - le magasin de primeurs - la boucherie - la crémerie - la pâtisserie - le glacier
3. a3 - b5 - c2 - d6 - e1 - f4
4. boulangerie - crémerie - boucher - poissonnerie - pâtissier
5. a4 - b5 - c6 - d3 - e1 - f2
6. a8 - b4 - c3 - d5 - e7 - f1 - g2 - h6
7. au - chez le - à l' - à la - au - à la - au
8. a3 - b4 - c1 - d2 - e2 - f2 - g2 - h2
9. enseigne - ristourne - succursales - faillite - rayon - soldes
10. le client : a - c - f - h - i - l - o - p - q - r
    le vendeur : b - d - e - g - j - k - m - n
11. a5 - b6 - c7 - d3 - e4 - f2 - g1 - h8
12. a2 - b1 - c1 - d1 - e2 - f1

Comment allez-vous ? (p. 51)

1. le kinésithérapeute - le radiologue - le pharmacien - l'infirmière - le médecin
2. un thermomètre - une pastille pour la toux - du sirop pectoral - un lit - du calme - une infirmière - une couverture
3. *malade* : il a mal au cœur - il souffre affreusement - il a mal à la tête - il a de la fièvre
4. f - c - g - b - i - d - h - e - a - j
5. *bien portant* : la force - l'entrain - le tonus - l'enthousiasme - le dynamisme
6. a2, 3 - b1, 3 - c1, 4 - d1, 2 - e1, 3
7. santé - médecin - traitement - médecine - convalescent - rechute - faiblesse
8. l'homéopathie - une fracture - une inhalation - un vaccin
9. a4 - b5 - c6 - d3 - e2 - f1
10. diététicien - médecin généraliste - pharmacien - infirmier - radiologue - kinésithérapeute - dentiste - psychologue
11. a5 - b6 - c2 (5) - d1 - e4 - f3
12. a1 - b2 - c1 - d2
13. a2 - b2 - c1 - d2 - e1 - f2

A table ! (p. 55)

1. a. une cuisinière - un serveur - un sommelier - un chef - un maître d'hôtel - le gargotier
   b. un plat - un batteur - une soupière - le couvert - une cocotte - une passoire
   c. un buffet - la cantine - le réfectoire
2. *entrées* : 2, 4
   plat de résistance : 1, 5
   dessert : 3
3. *petit déjeuner* : b, e, i
   déjeuner : c, d, f, g
   goûter : b, c, e
   dîner : a, c, d, f, h
4. a - c - d - f - j - k - l - o - p
5. la salière - le sucrier - le vinaigrier - la cafetière - la théière
   c - d - b - f - e - a

6. a5, 8 - b8 - c4 - d4, 6 - e1, 2, 4, 9, 11 - f9 - g3 - h10 - i4, 6, 8 (12) - j4, 6, 9, 11 - k1, 2, 9, 11, 12 - l7
7. saisies - épluchées - bouillir - dorent - peler - mijotent - sautées - rissoler
8. *l'électro-ménager* : a - c - f - g - (h) - i - k - l - n - o
   cuisson : b - d - e - g - i - k - n
9. goûté - gobé - dévoré (avalé) - picorer (grignoter) - croquer - se nourrit - s'alimenter - dévoré (avalé) - dégusté - grignote
10. *raté* : a - b - d - g - h - k
    réussi : c - e - f - i - j
11. a5 - b4 - c1 - d2 - e3 - f6
12. a4, 8 - b8 - c3 - d2, 6 - e2, 3, 5, 6 - f1, 4 - g3, 7 - h5
13. a2 - b1 - c2 - d2
    a2 - b1 - c2
14. a1 - b2 - c2 - d1 - e1 - f1 - g1 - h2

C'est la fête ! (p. 59)

1. un feu d'artifice - un bal - un pétard - un défilé
2. a3 - b7 - c8 - d6 - e5 - f4 - g2 - h1
3. *familiales* : b, c, e, f, g, i
   religieuses : c, e, g, i, j
   nationales : a, b, d, h
4. anniversaire - baptême - noces d'or - réveillon - fiançailles
5. Tous ces éléments peuvent convenir sauf *un serpentin*.
6. A2d - B4(2)a - C1b(d) - D3c
7. a1 - b2, 3 - c1, 3 - d2, 3 - e3
8. reçoivent - envoient - reçu - refuser - accepter - retourne
9. a4 - b5 - c7 - d1 - e2 - f3 - g8 - h6
10. a. la peine → le plaisir, la joie, le bonheur
    b. la joie → la douleur, la tristesse, le devoir
    c. tu refuses de → tu acceptes de, tu veuilles, tu puisses
    d. un malheur → un plaisir, une joie
11. a2 - b5 - c3 - d1 - e4
12. a1 - b2 - c2 - d1 - e1 - f2

La pluie et le beau temps (p. 62)

1. *pluie* : la grêle - l'orage - un nuage - une giboulée - le tonnerre - une flaque - une rigole - le brouillard
   beau temps : un ciel clair - un ciel dégagé - l'arc-en-ciel - la canicule - une éclaircie
2. des bottes - un imperméable - une rigole - une gouttière - une flaque - un parapluie
3. *pluie* : un imperméable - des bottes - un parapluie
   soleil : un drap de bain - des sandalettes - une visière - une ombrelle - des lunettes de soleil - un parasol - un short - un chapeau de paille
4. le parapluie - le parasol - le paratonnerre - le paravent
5. h - b - i - f - c - g - j - d - e - a
   e - c - h - a - d - b - i - g - f

6. *vents forts :* la tempête - la bourrasque - une rafale - la bise - un ouragan - un cyclone

7. neigeux - enneigé - déneiger - enneigement - déneigement

8. vente - inventer - inventaire

9. la pluviosité/un parapluie - pleuvoir - pluvieux
l'ensoleillement - ensoleiller - ensoleillé

10. a - c - d - e - h - j - m

11. a - b - e - f - h - i - j - k - l

12. brouillard - verglas - éclaircie - averse - arc-en-ciel

13. (il y a de l'orage dans l'air) - une pluie de pierre - il est dans le vent - un nuage de poussière

14. a4 - b6 - c1 - d5 - e3 - f2

15. a2 - b2 - c2 - d2 - e1

De la tête aux pieds (p. 65)

1.

tête : le nez - le front - l'oreille - la bouche - un cil - l'œil
membres inférieurs : un orteil - la jambe - le talon - le mollet - un genou - la cuisse - un pied - la cheville - un ongle
membres supérieurs : une main - l'avant-bras - un doigt - le coude - le poignet - un ongle
tronc : (le cou) - le dos - la taille - les seins - le ventre - une épaule - la poitrine - les fesses - les hanches

2. a2 - b3 - c1 - d5 - e6 - f4

3. a4 - b1 - c5 - d2 - e3
a. entendre - b. sentir - c. voir - d. toucher (sentir) - e. goûter

4. regarde - voir - regarde - entend - écoute - entend - écouter (entendre)

5. *avec les mains :* b - e - f - g - j - l - m - (n)
avec les pieds : a - c - d - (e) - h - i - k - (m) - n

6. a2 - b3 - c1 - d6 - e5 - f4

7. a2 - b5 - c4 - d1 - e3

8. A3e - B9c - C4b (d, e) - C7d (e, h) - D2b - D4d (e, b) - D5a - D6f - D7d (e, h) - D8b (f) - E4b (d, e) - E6f - E7d (e, h) - F2b (3b, 9b) - F6f - F7b (d, h) - F8b (f) - F9b

9. des lunettes - la barbe - un costume - les cheveux courts - une perruque

10. blond - auburn - châtain - roux - brun - noir
blême - pâle - mat - brun - bronzé - noir

11. a3 - b4 - c2 - d1

12. a3 - b2 - c4 - d5 - e1

13. nez - langue - oreilles - œil

14. main - épaules - ventre - bras - jambes

15. a2 - b1 - c2 - d1 - e2 - f2

Nos amies les bêtes (p. 69)

1. a. le serpent
b. le goujon
c. le moustique (l'abeille, la puce)
d. le héron
e. le lion (un tigre)
f. le hibou
g. la chatte (le chien, la chèvre, la vache, le chameau)
h. le zèbre (le lion, la biche, l'éléphant...)

2. a4 - b1 - c2 - d7 - e6 - f3 - g8 - h5

3. a3 - b5 - c8 - d1 - e2 - f7 - g4 - h6

4. a7 - b3 - c5 - d2 - e6 - f8 - g4 - h1

5. porcherie - étable - clapier - poulailler - bergerie - niche - nid

6. *face à un lion :* c, g, i, l
face à un perroquet : a, d, g, h
face à un chat : f, i

7. a2 - b6 - c7 - d1 - e4 - f3 - g5

8. singer - couve - lézarder - cancaner - fouine - chassé - bêle - niche

9. a4 - b5 - c6 - d2 - e3 - f7 - g1

10. a4 - b5 - c1 - d2 - e3

11. a1 - b1 - c2 - d1 - e2 - f2

À VOUS DE TRADUIRE

Aubin Imprimeur
LIGUGÉ, POITIERS

Achevé d'imprimer en janvier 1992
N° d'impression L 39240
Dépôt légal janvier 1992 / Imprimé en France